辻 真先

殺人小説大募集!!

実業之日本社

実業之日本社文庫

目次

プロローグ　あるアルバイト

「河合《かわい》くん、ちょっと」

「はい」

「八代《やしろ》、来い」

「はい」

女には「くん」をつけ、男は呼び捨てにする。明らかに差別だが、畑《はた》編集長はぜんぜん反省の色がない。

――もっとも編集長というのは名ばかりで、部下なぞだれもいない。いや、先週まで男がひとりいたのだが、二年間このニュー東京出版社につとめたあげく、前途を悲観し辞めていった。

だいたいこの会社に、二年もいたということが、異常事なのだ。それほど社の内情は、ひどかった。

もとはといえば、高度成長期に別荘地の転売でボロ儲《もう》けした社長が、表むき文化事業に出資し、内実は税金対策として多少の赤字覚悟で設立した会社である。前途もくそもあったものではない。

出版社といっても、これまであつかったのは、主にポルノ劇画、ヌード写真集、せいぜい官能小説だったけれど、社長の主観としては、堂々たる文化事業なのだ。

その虚栄心をくすぐるのにたけた畑が、創立以来一貫して編集長をつとめている。数字は読めても、ろくすっぽ漢字の読めない社長は、業務一切畑まかせだ。

業界での畑の評判は、あまりよくない。はっきりいって、わるい。

もともと畑は作家志望で、十二年前一度だけだが、某社の新人賞佳作をもらったことがある。入選作はむろん雑誌に掲載されるのだが、畑の佳作をどうするかでもめた。

そのうちに、畑の作品がさる大家の短篇《たんぺん》を盗作したものであることがわかり、雑誌社も審査員もあわてて、佳作採用を取り消した。

盗作はむろんだが、大家の作品を入選させなかったことでも、見識が疑われるというものだ。

雑誌社としては極力スキャンダルをおさえたいし、さいわい掲載以前に畑の企《たく》らみが露見したので、事件は不問に付されたが、彼の小細工は、ニュー東京出版社にはいっても、やむことがなかった。平気で海外の雑誌から切り貼りした写真集を出す。

ネタが割れないかぎり、仕込みはロハ同然で、そこそこの金を稼ぎ出すのだから、事情にうとい社長はよろこぶ。

編集長の椅子は安泰だったが――最近、それが少々あやしくなってきた。

というのは、社長の本業が赤字決算となり、道楽会社でしかないニュー東京出版社の存在そのものが、危くなったのである。風向きを察知した部下は、すでに去った。畑としても、つぎの仕事を探した方がよさそうだ……。

だが彼は、成算があるのか、表むき平然としていた。大した仕事があるわけでもないのに、四日間の約束で、ふたりのアルバイトをやとったりしている。

「畑さん、なにか」

丸顔でやや肥満気味の八代牧男《まきお》が、遠慮がちに声をかけた。電柱に張った「急募」のビラを見て、たったふたり――彼と河合新子《しんこ》だけが応募したのだ。偶然ふたりとも同い年だった。

「うん。今日できみたちは、我が社へはいって三日目だな」

「はい。そのあいだに二十八冊、小説を読みました」

新子が切れ長な目で、畑をみつめた。バイトの約束は、あと一日だというのに、いったいなんのつもりだろう……彼がふたりにやらせたのは、図書館へ行って、おもしろそうな小説を片っ端から読んでこい、という仕事だ。

書店で買ってこい、といわないところが畑らしいが、とにかく新子は、目いっぱい読んできたようだ。

「きみはどうだ、八代」

「ぼくは二十九冊です」

というと、新子が口惜《くや》しそうな顔をした。……たまたまニュー東京出版社へバイトにきたのだから、初対面のはずなのに、十年も前から知り合っているみたいに、ライバル意識をむき出しにする。よほど気の強い女なのだろう、と畑編集長は考えていた。

「どちらもまあまあだな。面接のときに、小説が好きと宣言しただけのことはある……堪能《たんのう》したかね」

「ゲップが出そうですわ」

新子が正直なところをいうと、畑はにやりとした。

「では、あらためて仕事だ」

デスクに積み上げられた原稿の山を、パンとたたいた。三、四十枚ずつ束ねてあるが、原稿用紙そのものは、大小バラバラだ。

「これは、我が社の『小説ＴＯＫＹＯ』のエンタテインメント・ノベルの新人コンクールに応募してきた作品だ。全部で三十八本ある。小説好きのきみたちの目で、予選のふるいにかけてもらいたい」

「え……」

「ぼくたちが、読んで、選ぶんですか！」

新子も牧男も、唖然《あぜん》とした様子だ。だが畑は、まったく動じなかった。

「その通り。……きみたちの読書スピードは、おおむねおなじと認められるので、公平に十九本ずつ、読んでもらう。……その中から、五本を選び出してほしい」

「しかし……ぼくたちは、まだ三日目ですが」

「それも、ほんの腰かけのアルバイトです。小説のことなんて、まるでわかりません」

「けっこうだね」

畑は、悠然とうなずいた。

胃がわるいのか、肌は土気色で、いかにも不健康な夜型都会人の典型といった顔をしている。そのくせお洒落《しゃれ》のつもりだろう、小作りな体に不似合なほど、大型のパイプをくわえていた。ストレス過剰のシャーロック・ホームズというところだ。

「小説に素人だと、きみはいう。それなら聞くが、小説の読者はすべてプロかね？　答えはノーだ……読者はすべて素人じゃないか。すなわち」

と、畑はまた原稿の山に、手を乗せた。骨張って形のわるい指だ。おまけに、爪に垢《あか》がたまっている。投稿者が見たら、気をわるくしそうな、汚れた手だ。

「きみたちふたりに、読者代表をつとめてもらおうというのだ。アマチュアだからこそ、手垢のつかない観察力を発揮できる！　私はそう考えたのさ」

「質問があります」

と、新子が手をあげた。

とりたてて美人というのではないが、ふしぎに男心をそそる顔立ちのグラマーな娘だった。花柄のプリントブラウスも若々しく、彼女が顔を見せるようになったこの三日間、うす汚い編集室が、ちょっとした花壇に変貌したように、畑には思われた。

「なんだね、河合くん」

「『小説TOKYO』は、私も一度目を通したことがあります……」

買ったとはいわなかった。一度目を通したきり、二度と手に取る気分になれなかったのだろう。

「……でもあの雑誌は、休刊したと聞いてますけど」

「一応、先々月で休刊した。実質的には廃刊と、解釈してよろしい」

畑のパイプが、うすい煙を吐く。

「ただし、小説の募集はぎりぎりまで続行した。ここに集まった三十八本は、その成果だ」

「成果はいいんですが……ぼくたちが選んだ十本を、編集長はどうなさるつもりですか?」

「むろん、あらためて私が読む」

「入選作を決めるのに?」

「……まあ、そうだ」

また煙が吐き出された。

「でも、それを発表する舞台がありませんわ」

「『小説ＴＯＫＹＯ』がなくなったからかね」

「はい。ほかに、我が社が定期刊行しているのは……」

「エロマンガ誌があるだけだ」

と、畑はこともなげにいう。

「まさか、その誌上で発表するんじゃないでしょう？」

「もちろん。エンタテインメント・ノベルと、エロマンガでは、購買者の客層がちがうからな。そんな雑誌にのせても、編集サイド、読者側、どちらのメリットもありはせん」

「じゃあいったい、入選作をどうするんですか」

牧男が詰問に近い口調になった。

「きみ、なにかカン違いしとるんじゃないか」

畑の目が、つめたく光った。

「はあ？」

「きみの質問に、私が答える義務はない……だが、きみは私の指示に応ずる義務がある。

なぜなら、アルバイト代を支払うのは私で、頂戴するのはきみだからね」

「……」

牧男が沈黙した。

そのとなりで、新子も不満げではあるが、口をつぐんでいる。

「私が私の選んだ投稿作品を、どのように使おうが、私の勝手だ。コンクールの募集要項には、あらかじめ『すべての著作権は本社に帰属する』と記してあるんだ」

不信の目で、牧男と新子は編集長を見た——と思うとすぐ、ふたりとも人のよさそうな微笑を浮べた。

牧男はともかく、新子には、高圧的な口のきき方はまずかったかなと考えていた畑だけに、ふたりがそろって笑顔になったのは、意外だった。

(おれが考えていたより、こいつら甘そうだぞ。それとも、この三日間のバイト代を、棒にふるのが、惜しくなったのかもしれん)

そんなことを考えながら、畑は、原稿の束を、ふたつに割った。

「十九本ずつある。ここから十四本、各自の責任においてふるい落としたまえ」

「わかりました」

ふたりとも、素直に受け取った。

「いつまでに決めればいいんですか」

「もちろん、今日と、明日いっぱいさ……約束の、バイトの期限じゃないか。……ただし、家に持ち帰らんでくれ。それでは、きみたちが、読んだような顔をして、適当にセレクトしたとしても、私にはわからんからな。あくまでここで読みなさい」

「今日といっても、あと一時間しかありません」

それまで図書館にいりびたっていたのだ。牧男がびっくりしたように、大声をあげた。

「明日をふくめて、実働八時間で、十九本読むんですか！」

「一本読むのに、二十なん分しかかけられませんわ……トイレも行かず、食事もせずにがんばっても！」

「ではトイレに原稿を持ってゆきなさい」

畑はいった。

「テレビを見ながら食事する者は、いっぱいいる。そばでもラーメンでも、好きなものを食べたまえ。原稿の上におつゆが落ちても、特に怒りはせんからね」

「……」

「……」

顔を見合わせたふたりは、うなずき合った。

「仕方がない、読もう」

「そうね。時間の無駄遣いだわ、編集長さんとしゃべっているのは！」

皮肉っぽくいい捨てて、牧男と新子は、それぞれ渡された原稿用紙に、手をつけようとした。

見ると、表紙に記された作者の名が、マジックで塗りつぶしてある。

「あれ……」

「ああ、作者の名前なら、私が消した」

「なぜですか?」

「万一、投稿の中にきみたちの知人がいては、困るからだ……依怙《えこ》ひいきがあっては、コンクールの審査はできんよ」

その通りだが、畑が作者の名を消した意図は、それだけではなさそうだ。

だがふたりは、もうその先を追及しようとしなかった。返本の山をまたぎ、ヌード写真集のポスターが占領している壁を背にして、ガタのきているスチールデスクを前にしたと思うと、たちまち原稿に没入していった……。

その日、一時間。

つぎの日、七時間。

畑のデスクに、初夏の西日が照りつけるころ、ふたりは、彼の前に立った。

「選びましたよ、五本」

「私も」

あわせて十本、ド素人の眼鏡にかなった短篇を前に、畑は上機嫌でパイプをふかした。

「ご苦労さん……ではこれで、きみたちのアルバイトはおわりだ」

机の引出から、うすっぺらなハトロン紙の封筒を二通出して、ぽいと置いた。

牧男と新子は、それぞれ慎重に中の紙幣を数えてから、領収書にサインした。

「どうも、お世話になりました」

「またお目にかかれたときは、よろしく」

礼儀正しく挨拶して、ふたりが編集室を出てゆくと、せまいへやが、急にガランとして見えた。

背中を焼く西日を避けて、立ち上がった畑は、大きくのびをした。

さて、今日はこの十本を家に持って帰ろう……ゆっくりと読ませてもらおう。それから、お役に立ってもらうのだ。

第一話　うふふ・ふうふ

求婚

「……」

「……」

ふたりのあいだに置かれたコーヒーカップは、店構えにふさわしい高級品でしたから、肉厚で、おいそれと中身がさめるような代物《しろもの》ではありませんでした。

「……」

「……」

にもかかわらず、どろりと淀《よど》んだ黒褐色の液体からは、湯気ひとすじのぼりません。コーヒーはさめきっておりました。

「……」

「……」

若い男と女が、喫茶店のテーブルをはさんでだまりこんでいる——決してテレビゲームをやっているんじゃありません。まして、べつべつのマンガ雑誌に読みふけっているのでもないのです。

「……」

男は、戸並昭吾《となみしょうご》。丸《まる》の内《うち》に本社を置く一流商社のサラリーマンでした。最終学歴は、これも一流の某私立大学卒。毛なみは一流といえなくても、そこそこエリート社員であることは、自他ともに許している青年です。

「……」

女は、佐々木初江《ささきはつえ》。昭吾の上司で重役候補と目されている、高田《たかだ》部長の姪《めい》にあたります。昭吾の容貌がどちらかといえば繊細で、神経質であるとすれば、初江は陽性でものおじせず、日向《ひなた》ですくすく育ったお嬢さんの感じでした。

おなじカラオケバーにはいっても、昭吾はマイクを遠ざけ、初江はよろこんで歌いまくる。そんな違いが看《み》て取れました。だからといって、昭吾を芸なしと思うのは早計。目あたらしいかくし芸として、腹話術を、ちゃんと本職について修業しているソツのなさは、さすがにエリート商社マンでありました。

現に、彼と彼女が知りあったのも、その種のバーだったのです。

同僚大勢が周囲にひしめいていたのに、昭吾は迂闊《うかつ》にも、初江が部長の縁につながる娘とは、気づきませんでした。いま大学四年の彼女、部長に二、三度この店へ連れてこられたことがあって、今夜はいっぱし常連顔で、友人ふたりと繰りこんでいました。だから昭吾の同僚に、彼女の顔見知りがまじっていて、夜の更ける時分には、なしくずしにふたつのグループが交流していたというわけ。

初江が伴った友人その一は、くすんだ冴《さ》えないやせっぽちでしたし、友人その二は、ピンクサロンのホステスみたいに厚化粧でしたから、昭吾の視線がおのずと初江にむかったのは、当然でした。

初江も、はじめはちらちら、やがてしげしげ、飲むほどに酔うほどに昭吾から目をはなさなくなりました。誇張でなく、昭吾は自分の顔に穴があくのではないかと、心配になったほどです。ひょいと気がついたとき、彼と彼女は、お互いのヌードをベッドの上でながめていました。

昭吾が、初江を高田部長の姪と知ったのは、その翌日、眼の赤さを気にしながら出勤したのちのこと。

一瞬彼は、肝を冷やしました。

むりもありません、高田部長は謹厳実直な人柄、しかも子どもがいないので姪を実の娘のようにかわいがっているという噂《うわさ》。合意の上とはいえ、昭吾はその娘同然の初江を抱いてしまったのです。

若者同士よくあることと、部長が不問に付してくれるかどうか。

数日後、昭吾は上機嫌の高田部長に呼び出されました。

「姪の佐々木初江というんだが、どこかできみを見染めたらしい……よかったら、つきあってやってくれんかな」

こうもちかけられて、

「いやです」

とはいえません。

「はあ、よろこんで！」

実情はシブシブでありました。……というのは、この数日のあいだ手をつくして、昭吾なりに初江のことを調べた結果、部長の日ごろのふれこみとは裏腹に、男出入りのはげしいプレイガールとわかったからです。

だいたい昭吾は、結婚に夢を抱いていません。大学の先輩、会社の同僚上役をひとわたり見ても――いや、もっと手近なところで自分の両親を観察しても、合格点をつけられるような夫婦は存在しないのです。

一見仲むつまじげな夫婦が、男と女の血みどろな争いを内包していたり、永遠の愛を誓ったはずのカップルが、一年とたたず別れたり、そのたびに浪費される彼らの時間的金銭的エネルギーを、昭吾はひとごとながら、

（もったいない）

　と思っておりました。

　甘酸っぱい春の宵、あるいは人恋しくなる秋の灯ともし頃、ひとりでいるのに耐えられなくなったら、新宿《しんじゅく》でも六本木《ろっぽんぎ》でも遠征して、好みの女の子に声をかけ、フィーリングが合ったら即ベッドイン、なにがしのお小遣と男の哀愁をのこして別れて行くのが、もっともあとくされのない男女の交際法である。

　そう信じていたのに、今度にかぎって、みごと昭吾はひっかかりました。

　おそらく初江の方でも、彼の人となりについて調査した結果、まあまあ出世株と判断したからこそ、伯父の高田をリモコンしたにちがいないのです。

（くそ、だれが結婚なんてするもんか）

が、現実は結婚を前提とする交際をはじめねばならなかった、昭吾でした。

　とうとう今日、初江が切り出しました。

「結婚してくれるんでしょう」

　これがふたむかし前の話なら、女が男に求婚するケースは珍しい。顔赤らめて、指でのの字を書いて、たたみのケバをむしって、大時代な演技を見せたでしょうに、初江はいともあっけらかん、まるで、

「ケーキ買ってくれるんでしょう」

とでもいうように、おめず臆さない素振りが、いよいよ昭吾を白けさせたのです。

「正直にいうよ」

彼は、覚悟のほぞをかためました。

「ぼくには結婚の意志がない」

「そんなこと、信じないわ」

初江は、あくまでめげません。

「高校のころのお友達に、一生結婚しないって頑張ってた人がいたわ。クラスメートの中で、トップでゴールインしちゃったけどね」

「ぼくは、あなたのクラスメートとちがう」

昭吾も強情にいいはりました。

「相手があなただからというのじゃなくて、男と女がいっしょに暮らしても、幸せになれっこないと思っているからだよ」

それっきり、ふたりはだまりこくってしまったのです。

「……」

「……」

沈黙の重圧に根負けして、先に口をひらいたのは昭吾でした。

(ちぇ、こんなことでは彼女に押し切られちまうぞ)

自分で自分に腹を立てながら、

「もしあなたが、結婚したぼくらが幸福になると考えているなら、それはとんでもない錯覚なんです！　ぼくは浮気者ですからね、家庭にはいったからって、あなたひとりで辛抱できっこない。いくらあなたが美人で、気立てがよくて、働き者で、貞淑でも、ぼくはきっとあなたを裏切るでしょう。それでもあなたは、ぼくについてくるというのですか。ああ、そりゃ結構でしょう、あなたは良妻として自分のプライドを満足させることができるから。だがぼくはどうなります。あなたの親類縁者からぼろくそにいわれねばなりません。家柄財産すべてあなたの方が上だ、そうなるとぼくは浮気ひとつするにしても、あなたの伯父上はじめ親族のみなさんの顔色をうかがわなくちゃならない、まっぴらだ！　ぼくだってサラリーマンですからね、社長にのしあがれるとまでうぬぼれてはいませんが、そこそこの地位につきたいと思っている。小説やテレビドラマで、うんざりするほど出てくるでしょう……上役のコネをたよって出世したがる奴《やつ》ら。セコいんだよなあ、そういう連中の保身術は。その上役がプログラム通り、常務専務社長とのしあがってくれればいいけど、まかり間違って失脚でもしてごらんなさい、縁につながる下っ端まで、一生うだつがあがらなくなる。だもんでぼくは、無色透明をモットーにしてるんです。重宝がられず邪魔にされず、取り柄もないが問題を起こさない、そうやっておとなしく死ぬまで飼い殺しにされるつもりで入社したんですからね。なにを好んで、あなたと結婚して、社内の一派閥に組みこまれようってのか。いいですか、念を押しておきますよ……ぼくと結婚したって、絶対にうまくいきっこないんだから！」

結婚

——そして、昭吾と初江は、結婚いたしました。
はじめの半年、一年は、なんだかんだといっても甘いムードがつづいたのは、たしかです。
だが二年たち、
三年たち、
五年たち、
さらに十年十五年と、時間がメリーゴーラウンドのように、ゆるやかだが確実なあるリズムで回転していくと——。
昭吾は彼自身が予言したように、女遊びをはじめました。
最初はこそこそ、
次第にこれ見よがしに、
やがてあけっぴろげとなりました。

仕事の方は順調そのもの、不確定要素だった高田部長の昇進も、意外にスムーズで、昭吾が結婚してから十六年めには、副社長の座を占めていました。

当然彼のヒキによる昭吾の出世も、ベルトコンベアに乗ったようなものです。ひとつには、どの椅子につけても、そこそこに業務をこなすソツのなさが、冒険をきらい安全を望む会社上層部によろこばれたのでしょう。

昭吾の浮気が、高田部長――いや現在は副社長の、耳に届いたことも一再ではありませんでしたが、激務の副社長ですから、本気になって心配することもありません。

もっとも、噂を耳にした副社長夫人や、ふたりいる初江の妹が、そこは女同士ですから、共同戦線を張って、あからさまに昭吾の悪口をいいはじめました。

蛙《かえる》の面に水というのか、昭吾は気にかける様子もなく、さらになん年かがたちました……。

ふたりのあいだに、子どもは恵まれませんでしたが、こうして昭吾と初江の結婚は、かねて昭吾が信条としていたように、良くもなければわるくもない、そこそこの経過を辿《たど》っていました。

そのむかし、結婚以前に語っていた昭吾の悲観論を思うと、上出来であったといえるでしょう……。

だが、やがて、昭吾にとって大きな危機が来ました。

初江が病床に臥したのです。

二年ほど前、高田は社長に就任していました。

昭吾が、同期の連中を尻目に、平とはいえ取締役の椅子にありついたのが、つい半年ほど前のこと。

人間には、地位があればそれに応じて自然と力が身につくタイプと、地位の上下に関係なく一定の能力しか発揮できないタイプがあるようですが、昭吾の場合は、残念ながら後者でした。

だれが見ても——昭吾自身が考えても——彼は重役の器ではありません。

彼のいうところのそこそこサラリーマンであってみれば、せいぜい部長どまりで停年を迎えるのが、彼にとっても幸せなコースだったのです。

生じっか社長のヒキがあったばかりに、彼は分不相応の仕事をまかされて、わずか半年のあいだに、つぎつぎボロを出しました。社長の後ろ盾がなかったら昭吾はとっくに、格下げされていたはずです。

高田社長ですら、今となっては昭吾を買いかぶっておりません。

姪の亭主という、ただそれだけのことで、彼を取締役のポストへつけたのも、社長の心理を忖度《そんたく》するなら、自分の勢威を各方面へデモンストレーションしたかったからなのです。

そういうわけで、昭吾を取締役の椅子にのこしてくれているのは、高田と初江の血縁関係という、ほそい糸が一本きり。

初江が死ねば、それすら途絶えてしまいます――。

しかも、あとにのこる女どもの噂は、

「浮気な昭吾さん」

「初江さんをさんざ泣かせて」

「夫の風上にもおけないわ」

等々、ろくな評判じゃないに決まっているのです。

高田だって、社長の椅子は、すわり心地がいいでしょう。かわいい姪が生きているならともかく、死んでしまえば、もうそれ以上無能な昭吾を庇《かば》いだてする必要は、みとめられません。

昭吾にとって、妻の死は、サラリーマンとしての決定的な転落を意味しました。

そして、初江は、癌《がん》に冒されたのです。

訣別

検査をおえたあと、医師が昭吾を手招きしました。

「ご主人に、ちょっと」

お話がある――というので、かるい気分で近づいた昭吾は、耳打ちされた内容の思いがけなさに、顔色を変えました。

「子宮に、悪性の腫瘍ですって」

ガン、とははっきりいってくれません。だがその語気は、あきらかにそうです。

「すぐ手術してみますが……」

「治るんですか、妻は」

「手術そのものに問題はありません」

「じゃあ、なにが問題だというんです」

「転移の可能性があります」

体の変調を訴えて、病院の門をくぐったに過ぎない初江は、自身の病状にまったく気がついていませんでした。

手術はすぐに執刀されました。

赤ん坊の頭ほどもある妻の子宮を、昭吾はまのあたりに見ました。

ついに子を生むことのなかった子宮――妻を死にみちびく肉芽としてのみ機能した子宮――昭吾は、その赤黒い塊をひと思いにつかみつぶしてやりたい衝動にかられましたが、そんなことはおくびにも出さず、彼は医師にむかって、うやうやしくお辞儀をしてみせました。

術後の恢復《かいふく》はスムーズでしたが、間もなく初江は食欲不振を訴えるようになりました。おそれていた再発が、おそれるひまもないほどのテンポで、初江の肉体の深部に起きていたのです。

再度の入院時、陽気な初江も、さすがに心ぼそげでした。

「昭吾さん」

会社さし回しのハイヤーに乗ろうとして、初江は夫の手首をにぎりました。

去年までの彼女なら、昭吾をしのぐボリュームの手首であったのに、今は見る影もなく肉が落ちています。

「なんだ」

「私……この家へ帰れるかしら」

「ばか」

ぎくりとした昭吾は、そのショックを押しかくすように、声を荒げました。

「くだらんことをいうな……縁起でもない！」

まったく、エンギでもありません。

初江が死ねば、昭吾はあっという間に重役の座をすべり落ちます。

（お前に死なれてたまるもんか）

ろくすっぽ会社にも出ず、彼は、妻の看病に専念しました。

保身のために、初江の病状を把握する必要があったことはたしかですが、そうした彼の献身ぶりが、妻を見舞う女どもに与える印象をも、計算に入れていたのです。

あいにく彼のその演技は、女たちには、好評といい難かったようです。

「今ごろになって、あわててる」

「手おくれよ」

「死なれちゃ困るものだから」

どの女もこの女も、白い眼ばかり。

高田夫人も熱心に見舞いに来てくれたし、初江が通っていた体操教室の仲間は、とっかえひっかえ、花だの菓子だのをかかえてあらわれました。

当の初江は、これがふとり過ぎを気にして、美容体操に通った女かと、ふしぎになるほどやせおとろえた青黒い腕をさしのべて、見舞客といっしょにはしゃごうとしました。

ただ、いつ来てくれても、彼女が求める顔が、見舞客の中にいないことが、不満だったようです。

「ねえ、風間《かざま》先生は」

と、ある日初江は、昭吾のいる前で友達に催促してみせました。

「お見舞に来てくださらないの」

風間の名は、昭吾も聞きおぼえがありました。

それはたしか、初江が子宮剔出《てきしゅつ》のオペを受けた三日後のことです。

会社から病院へ直行した昭吾は、初江の枕許《まくらもと》に腰を下ろして、笑顔で話しかけている三十七、八歳の男を見ました。鞭《むち》のように、しなやかで力強く締まった肉体が、スーツの上からでも読みとれます。

「風間です」

と、男は名乗りました。

(そうか、体操の先生か)

昭吾は納得しました。美容体操の教師が、現在の昭吾みたいに腹の出た体軀《たいく》だったら、だれも授業料を納めようとしないでしょうから。

「風間先生は、ニューヨークよ」

と、仲間のひとりが教えました。

「あら。まだ?」

「研修の予定が、半年のびちゃったの」

「そうお」

「だからあなたが再入院なすったこと、先生まだご存知ないわ」

「そうだったの」

正直に気落ちした表情をつくったので、体操仲間が、騒々しく笑い声をあげました。

「いやだ……初江さんたら、あの先生に気があったの」

「まあ。そういうあなたも？」

「じゃあここにいる人たち、みんなライバル同士ね」

中年女たちが、かしましく笑い崩れるのを、昭吾はぼんやりとながめていました。

(初江のやつ……いつまでああして笑っていられるかな)

彼が案じたように、その後五日ほどで病勢は急激にあらたまりました。

医師が、例によって無表情に、昭吾に告げるのを、当の昭吾もひとごとのように、無感動に聞いたものです。

「縁者や、とくに近しい方たちに知らせてあげた方がいいでしょう」

夜にはいって、初江の両親、高田夫妻、初江の妹ふたりと亭主たちが、ぞくぞくと詰めかけてきました。

みんな一様にハンカチをつかんで、顔をぬぐっています。病人の息がある内に泣いているのではありません。その晩は、日が落ちてもいっこうに熱気が去らず、不快指数の高い熱帯夜でしたから。

一同に見守られている今夜の主役、初江は酸素吸入を受けていました。むなしい医療活動です……肝心の患者は、あと数時間の生命と宣告されているのですから。

全身に飛火した癌細胞との戦いに、初江は生命力を消磨しつくして見えました。あれほどふくよかであった頰が、別人のようにこけてしまったので、まるでどくろに皮を貼りつけたみたいです。

「姉さん、……」

と、上の妹が声を押し殺して、泣きはじめました。

「こんなに瘦せてしまって」

「だれだね、あの人は」

弛緩《しかん》した声が、その場の空気を乱しました。声のぬしは、老妻につきそわれて、丸椅子にちょこなんと坐《すわ》っていた、初江の父です。とって八十三歳、近ごろはすっかりボケてしまったと聞きます。

「お父さんたら」

しっかり者の初江の母が、夫の膝をぱんと打ちました。

「しっかりしてくださいよ。娘の初江じゃありませんか」

「初江は、しかし……」

老父が、おぼつかなげに、口をもごもごさせました。

「もっと丸顔じゃなかったのかね」

「だから瘦せたんですよ！」

初江の母は、高田社長の妹にあたります。老いても堂々として見える兄の手前、夫のボケぶりが情けないようで、彼女はしきりに声をはげましました。

「とんちんかんなことを、いわないでください！」

「初江は、丸顔だった。丈夫な女の子じゃった……なぜこんな……」

得心のいかぬ顔つきで、老父はゆっくりと視線を移動させました。

「なぜ……」

その視線が、昭吾の姿の上でとまりました。

「なぜ瘦せたのかな、昭……吾くん」

ボケてるくせに、おれの顔はおぼえてやがった！

まさかそう舌打ちするわけにも、いきません。

「それはお義父《とう》さん。病気のせいです」

「それだけかしら」

下の妹のひとりごとが、針となって昭吾の耳に突き刺さりました。

「お姉さん、辛《つら》い思いをしていたから」

「なんのことかね」

じっと姪の顔をみつめていた高田が、背中で初江の妹に問いかけました。

「だってお兄さんが……」

「よせ、こんな席で」

寄り添っていた亭主の叱咤《しった》。

「こんな席だから、伯父さんに聞いてほしいの」

「いいからやめろ」

ふたりのみじかい争いを、居心地わるく耳にして、昭吾は思わず体をゆすりました。

「いいたいことは、だいたいわかっておる」

高田の低い声が、昭吾には、まるで断罪文を読みあげる検事のように聞えました。

「いずれ、しかるべく処置する……それよりもな」

声が、涙でしめっています。

「今は初江を、安らかに見送ってやろうじゃないか」

「いいたいことって、なんだね兄さん」

初江の老父が、ずれた叫びをあげました。年齢的には彼の方が高田より四つ五つ上ですが、妹を娶《めと》っているから、高田は義兄にあたります。

それにしても、老いさらばえて上体をしゃんと起こすのも容易ではなさそうな老父が、年より十くらい若く見える高田を、兄さん呼ばわりする図は、奇妙な感じでした。

「ああ、そうか。昭吾くんの、女ぐせのわるさか」

「お父さん！」

あわてた母が、夫の膝をつづけざまにぴしぴしと打ちました。

それでも老父は、さっぱり感じないようです。

「男の甲斐性《かいしょう》だ……かまわんじゃないか……昭吾くんいいぞ、わしが許す。やんなさいやんなさい」

「あなた！」

たたくだけでは間に合わないと思ったのか、老母は、相手を力いっぱいつねりました。

「わははは」

この年になると、痛いのとくすぐったいのと区別がつかなくなるのでしょうか、初江の父は、けらけらと愉快そうに笑いだしました。

「お前の兄さんだって、そうだ。二号に子どもを生ませて、もめにもめたことがあったなあ」

へえ、高田社長が。

昭吾はちょっと面食らいました。

思いがけぬ暴露を受けて、高田は、苦虫をかみつぶしたような表情です。

「お父さんよしてよ」

上の妹が、涙声で抗議しました。

「お姉さん、もうすぐ死ぬのよ」

「それと、亭主の浮気と、どんな関係がある？」

ボケ老人は、妙に論理的に申します。

「そんなもの……ないわ」

「なければよろしい。だまっていなさい」

だが、そのとき。

ベッドの上の初江が、かすかに顔をふりました。

「気がついたみたい」

「なにか、いいたいことがあるんだわ」

「初江！」

みんな体を乗りだしました。

いち早く行動にうつしたのは、昭吾です。椅子を捨てて、ベッドへかけよった彼は、酸素吸入の管を外しながら、初江の口に耳をつけました。

「なに……なんだって……もっと、大声で！」

昭吾は、妻の体の下へ手をさし入れて、ゆさぶらんばかりでした。

「しっ」

それまで殊勝にだまっていた昭吾が、このときばかりは大喝しました。

「静かにしててください！」

叫んでから、初江に向きなおる――それと同時に、かすかな、かすかな声が、かげろうの羽音のようにたよりなく、へやの空気をふるわせたのです。

「さよ……なら……」

それは、初江の声というよりも、天のどこからか、目に見えぬほどほそい糸を、打ちふるように聞えました。

「風……間……先……生」

がく、と初江の首がゆれました。

それっきり、彼女も、彼女を抱いていた彼も動きません。

そして、初江の別れのことばを耳にした一同も――。

驚愕《きょうがく》のあまり、身動きひとつできませんでした。

(風間……先生?)

(だれのこと)

(あの人だわ、美容体操の!)

(教室へ通う奥さんたちが、ひとりのこらず憧れてるという)

(まさか!)

(でも、お姉さんは、今たしかに『風間先生』の名を呼んで死んだ!)

高田夫妻も、

初江の妹ふたりも、
気遣わしげに――痛ましげに――昭吾の動かぬ背をみやりました。

(いくらなんでも)

(かわいそう)

(死の床で)

(妻に、ほかの男の名を)

(呼ばれるなんて)

「わははは」

だしぬけに、初江の老父が、歯のぬけた口を大きくひらいて笑い飛ばしました。

「なんともはや」

「あなたっ」

老母がヒステリックに、その口を押えようとしますが、年寄りの胴間声は、とてもセーブしきれません。

「してやられた喃《のう》、昭吾くん」

「……」

彫像のように動かない背へ、遠慮のないダメ押しをくわえます。

「女遊びが男の甲斐性なら、女にもおなじいい分があった。お互いさまというほかないて、なあ、兄さん」

「ふ……」

どこかで低い笑い声がはじまりました。

最初は、義弟に呼びかけられた高田社長かと思ったのですが、当の社長は、眉間に針を立て、腕を組み、身じろぎもしていませんでした。

「ふ……ふ……」

声のぬしが、わかりました。

昭吾です。

妻に裏切られた夫、戸並昭吾が、ひと声ひと声、押し出すように笑っていたのです。

その証拠は、ごらんなさい。

一座に向けた昭吾の背が、
少しずつ、
少しずつ、
ふるえはじめたじゃありませんか？

「うふ……ふふ……ふふ……」

肩が大きく、
上下に波うち、

「うふふふ！

あははは！

わーっはははは！

くるりと彼は、体を回しました。

むくろとなった初江にお尻を向けたまま、昭吾はまだ笑いこけています。

「これが……こいつが……夫婦ってもんなのか！」

なにがそんなにおかしいのか、彼は、眼に涙さえたたえておりました。

「ねえ、おかしいじゃありませんか。

ぼくはたしかに、女遊びをしましたとも。今更そいつを、かくしだてしようとは思わない。

ただいわせてもらうなら、ぼくは、ほかの男がしたことを、したまでだ。

高田社長や、お義父さんや、まだそのへんにいる旦那さんたちや……ひょっとしたら、

『おれはやっていない！』

そういいきる人もおいででしょう。

だがその人たちだって、やっていないけど、実はやりたかったんだ。

やる勇気や金がなかったから、とうとうやらずにすんだだけ。でしょう？

男がそうなら、女もそう。

そのへんにいる奥さんたち！

あなた方だって、おんなじですよ。

ビジネスで精力を消耗させた亭主どもよか、行きずりのかっこいい二枚目の方が、はるかにはるかに、男の色気を感じさせるんじゃないですか。

『いやーだ。私は、夫以外の男に興味がございません』

そうおっしゃるあなたは、興味がないんじゃない、チャンスがないだけ。

あるいは世間の眼がこわい、離婚されたらソンと、自分自身をいつわっているだけ！

ねえ、自分をいつわるくらいなら、世間をだまし夫をだます方が、ずっと実り多いんじゃありませんか。

ぼくの妻は——初江は——みごとにそれをやりとげたんだ。

だましたつもりがだまされて、だまされたはずがだましていて、だがこいつが夫婦の実態だというんなら……うふ、うふふふ」

そこでまた昭吾は、ひとしきり笑いにむせびました。

「夫婦なんて、お笑い草だと、ぼくはいいたい！」

真相

初江の葬儀は、盛大でした。

夫である昭吾の主義としては、そこそこにしめやかで、そこそこににぎやかなのがよかったのですが、高田夫妻——とくに夫人の発言力が強く、昭吾としては最大限に背のびせざるを得ませんでした。

参列者の中には、美容体操の仲間たちも、いく人か顔を見せていました。一様に喪服を着て、ワンパターンのしおらしい表情をつくると、だれがだれやらわからなくなって、昭吾をまごつかせました。

初江の妹たちは、焼香客の中にそれらしい顔を見かけると、ものいいたげに腰を浮かせましたが、その度に、夫に袖をひかれて思いとどまるのでした。

いうまでもなく、彼女たちは、姉の風間への思い入れが、どの程度であったかをたしかめたかったのですが——。

それについては、実は昭吾から、事前に釘《くぎ》を刺されていたのです。

「お願いします。あいつの最後のことばについては、どうか聞かなかったことにしてやってください」

たとえ、彼女と風間の関係が一方的なものであったにせよ、あるいは想像以上のふかい結びつきがあったにせよ、

「当の初江は、もうこの世にいないのですから……」

そっとしておこう。

それが、高田をはじめとする親類縁者たちの、暗黙の協定でもありました。

おかげで、といっては語弊がありそうですが、昭吾はいまだに取締役の座についたまま。

もっとも、自分の力の限界を知りぬいている昭吾ですから、そのうち折を見て、退職届を出すつもり。

理由は後進育成のためでもなんでもかまいません。姪を失った今、社長が昭吾を慰留するはずはなく、大きなポカをやらかす前に、自分から身をひいてくれた彼にほっとして、できる範囲で退職金を積んでくれることでしょう。

（それでいい）

マンションの居間で、とっときのブランデーのボトルをかたむけながら、昭吾は考えておりました。

（そこそこサラリーマンをねらったぼくとしては、上等じゃないか）

淡い飴《あめ》色の液体をのぞきこんだ昭吾は、鼻をくすぐる贅沢《ぜいたく》な香りに、目をほそめます。

３ＬＤＫにひとり暮しというのは、ちょっと広過ぎるような気がします……ひと口グラスをすった彼は、ゆったりした気分で、居間を見渡しました。

ひとり暮しどころか、夫婦ふたりの住まいでも、今の東京の居住環境を考えれば、上の部でした。

それでいながら、初江は、仕事に疲れた昭吾が書斎を出て、居間にくつろいでいると、よく剣突《けんつく》を食わせたものです。

「あなたがそこにいると、うっとうしいのよ」

「どうして」

「どうしてもこうしてもないわ。酸素が足りなくなるみたい」

「無茶をいうんだな」

笑いでごまかそうとしましたが、初江は、決してユーモアのつもりでいったのではないようです。

「よその女の唇を吸った、おなじ口で、私とおなじへやの空気吸わないでよ」

「……」

さすがに昭吾も絶句しました。

「私が、あなたの浮気を見て見ないふりしてるのは、寛大だからじゃないのよ。自分を罰しているんだわ」

「自分を」

「そうよ。あなたみたいな男に、白羽の矢を立てて、なんとか結婚しようとあがいたこと。馬鹿みたいだった私！　二十年たっても、私はそんな私が許せないの」

大まじめに「酸素が足りない」と叫んだ妻の顔を思い出しながら、昭吾は、グラスをゆすった。

そう……。

たしかに、われわれの結婚は失敗だった。

だが、それをいうなら、結婚という事業そのものが、自己矛盾をはらんでいる。

お茶番だ。

茶番を茶番らしくおわらせよう、そう考えて、昭吾はひと芝居打ったのです。

あのとき。

瀕死《ひんし》の妻を、昭吾が抱きあげたとき。

「さよ……なら……」

の声は、初江が発したものではありませんでした。

耳をすました一同に、聞えるか聞えないかのレベルまで声をしぼりながら、久々に演じた昭吾のかくし芸――腹話術。

絶息寸前の初江の体を、腹話術師の人形のようにあやつって。

声の調子と人形の動きで、術師のはなつ声が、あたかも人形のおしゃべりみたいに錯覚されるテクニックは、臨終の悲しみにみちた雰囲気にカバーされて、みごとなステージをつくりあげました。

「風……間……先……生」

もとよりその名は、体操教室の仲間の、他愛ないおしゃべりをヒントに、でっちあげたもの。

家名を重んじ、死者に鞭打たないことを美徳とする高田たちが、事後の追及をすることは考えられません。

そこまで計算に入れた上で演じた、昭吾のかくし芸は、みごと彼の立場を、加害者から被害者へ、逆転させたのです。

「うふふ」

昭吾の唇から洩《も》れる薄笑いは、あのとき高田たちが聞いた笑いと、まったく意味がちがっておりました。

「うふ……」

これはいけない。

空《す》きっ腹《ばら》に飲んだせいか、酔いの回りが早そうだ。

椅子の肘掛けに手を突いて、よいしょと体を起こした昭吾の眼に、今日届いた郵便物の束がうつりました。

通いのメイドが、一階ロビーの集合郵便受から、とってきてくれたのでしょう。

「戸並昭吾様」

おや。

どこかで見たような文字の宛書がある。

うすっぺらなその封書を取りあげるのと、昭吾の全身を形容し難い悪寒が走るのが、まったくおなじ瞬間でありました。

あわてて彼は、封書を裏返します。

そこには、やはり、差出人の名がこう記されていたのです。

「初江」

死んだ初江から、手紙が届いた!

めったにないことですが、昭吾は我を忘れて、その封書を取り落としました。

ひらひらとひるがえった封書は、スリッパをぬいでいた昭吾の、足の甲へ——。

「わっ」

煮え湯でもかかったような思いで、彼は、反射的に足をひっこめておりました。

なん秒か、なん分か、その姿勢で、昭吾は封書を見下しつづけました。

ほのかに漂うブランデーの香りが、わずかに昭吾を勇気づけたようです。

彼は、まるでギックリ腰に罹《かか》った老人のように、おそるおそる床へしゃがみこんで、封書を手にしました。

ふるえる指先でねらいを定め、ひと思いに封を破ります。

透けて見えるほどうすい便箋は、あきらかに妻が愛用していたものです。

昭吾はつばをひとつのみこんでから、老眼鏡をかけ直し、妻のペンの跡をたどることにしました……。

「あなたが　この手紙を読むころ　私はもう　生きていないでしょう
とうとう　あなたにいうことが　できませんでした
死んでから　話すなんて　われながらずるい
そう思います　でも　それをいうなら　あなただって　ずるい
男は　ずるい
だから　女も　ずるくなる
そうなのか……
それとも
女が　ずるい
だから　男まで　ずるくなる
どっちだか　私　わかりません

わかっているのは　私が
Kを
愛したこと
ごめんなさいね　あなた
いおうか　いうまいか　迷いつづけたんですよ
でも　今はこうして　話してしまった
いいたいことは　それだけなの
この手紙
Kに
あずけます
Kは　しばらくアメリカへ行っています
日本へ帰って　私が　死んだとわかったら
この手紙を　投函《とうかん》してほしい
そうたのみました
Kは
この手紙に　なにが書いてあるか　知りません
知るのは　あなただけで　いいんです

なんといっても　あなたと　私は　夫婦ですものね
夫婦のあいだに　かくしごとなんて　いけないことですものね
ごめんなさい　あなた
でも
許してほしいとは　申しません
さよなら　あなた」

求婚

「……とまあ、こんなふうなラストシーンになるんじゃないですか」

長話でのどが渇いた昭吾は、さめきったコーヒーを、顔をしかめながら、むりやりのどへ流しこみました。

「ぼくが男であなたが女である以上、しょせん結婚の末路は、こうなるんです」

「おもしろいお話だったわ」

初江は、ふっくらとした頰をほころばせて、右手をあげました。

「コーヒー、お代りね。さめちゃったから」

ウエイトレスに注文するのを見て、昭吾は呆《あき》れ顔でいいました。

「飲み直すんですか。もう話すことなんて、ないのに」

「あなたになくても、私にはあるの」

初江がぐっと体を乗りだすと、最大級のボインの谷間が、眼の下にちらついて、昭吾はつい思い出してしまったのです。

ホテルの一夜、シーツの海で身もだえした初江の肢体は、人魚というにはちと肉づきがよすぎましたが……。

「私は、あなたが好き。だから恥しいのを我慢して、こうしてお目にかかっているのよ」

と、およそ恥しくなさそうな口ぶりで、初江がいい、とってつけたように両手で顔を押えました。

「いやあだ」

なにがイヤなのか知りませんが、タンクトップの初江がそんなゼスチュアをすれば、わきのした剃《そ》りのこした毛のなん本かが、いやでも昭吾の眼に突き刺さります。

「だから……あなたの弁解はいいの……正直な気持だけ聞かせて」

必要もないのに体をゆするものだから、体にくっついている左右の乳房までワサワサとゆれました。

「私が好き?」

初江の眼が——つぶらなと形容するには、ややどんぐり眼《まなこ》に近いけれど、十分に大きく丸っこい瞳が、昭吾を見据えたのです。

「好きなら、好きといって……結婚しろなんて、もういわないから」

瞳がうるんだと思うと、びっくりするほど大粒の涙が湧いて出ました。

初江の胸のどこかで、ダムが決壊したのでしょうか。

「は、初江さん」

昭吾はあわてました。

やがてウエイトレスが、二度めのコーヒーを運んでくる頃合です。そしてこの喫茶店は、社の同僚がちょくちょく使っている店です。ウエイトレスの口から、自分が部長の姪を泣かせたなんて噂が飛んだら……。

「泣かないでくれよ、たのむよ」

「だから聞かせて」

なぜそこに「だから」などという接続詞がはいるのか、昭吾は納得できませんが、文句をいっているひまはないのです。

「私が、好き？　きらい？」

「う……」

「結婚してほしいなんて、いわない！　決していわないわ。ただあなたの、ほんとうの気持が、お聞きしたいの。好き？　きらい？」

「す……」

昭吾としては、背に腹はかえられませんでした。

やむをえず、「好き」の「す」の、そのまたSを発音した程度の反応でしたが、とたんに初江はおどりあがったのです。

「うれしい、昭吾さん！」

結婚

——そして、昭吾と初江は、結婚いたしました。めでたし、めでたし。……かナ？

第二話　狂気の凶器

狂　気

まわりは海底のように暗いのに、その一画だけが、白昼の渚《なぎさ》のように、強い光に満ちていました。

（おれは千両役者だな）

塩野《しおの》博士は満足気にスタジオを見渡しました。

テレビスタジオ、といってもここはドラマ用ではなく、ニュースや教養番組のためのスペースでしたから、せいぜい五十坪の広さでしょうか。

それにしても、今夜のこの番組では、塩野博士は疑いもなく主役です。

構成は博士自身でした。

タイトルは「狂気の殺人者」

おことわりしておきますが、塩野咲哉《さくや》は博士といっても、社会学だの犯罪心理学だのを修めているわけではありません。本職は金属学ですから、工学博士なんです。

そのガチガチに堅い学問を信奉するハカセが、マスコミむけにやわらかく、夫婦の問題やら犯罪のあれこれやらを論ずるアンバランスさが受けて、塩野博士はいま売れっ子評論家のひとりだったのです。

視聴対象が、昭和ひと桁のそれも女性中心と判断すると、ソフトに、わかりやすいことばを使って、テレビの前に坐った奥さま方のご機嫌をとりむすびます。

そんなサービス精神が評判になって、このところ博士への講演依頼が相次ぎました。

今夜のテーマは、

「理由のない犯罪について、お話しいただきたいんです」

頻発する通り魔殺人が、マスコミの話題をさらっている最中だったのです。

六本木・吉祥寺《きちじょうじ》・立川《たちかわ》・銀座《ぎんざ》・新宿と、犠牲者はすでに五人。

いずれの場合も、動機らしい動機が想定できず、警察を困惑させていました。

さてこそ、テレビ局からお座敷がかかるはずです。

プロデューサーのことばを借りるなら、

「いまほど物騒な時代はありません。車に乗ればぶつけられる。バイクで走ればはね飛ばされる。ジョギングすれば看板が落ちてくる。ゆっくり歩いていてさえ、ナイフをかざした通り魔が、私たちの命をねらいます。なんたる理不尽！

ことに判断しかねるのは、故なく他人を傷つけ殺そうとする、無目的突発的な犯罪者です。

ひとつ先生に、そのへんのところをお話しいただきたいのですが」

「よろしいとも」

塩野博士は、鷹揚《おうよう》に安請け合いいたしました。

およそ畑ちがいのテーマですが、いまや日本は、一億総評論家時代。政治評論、社会評論、音楽評論、文芸評論、美術評論、風俗評論、家庭評論、生活評論、映画評論、演劇評論、交通評論、レジャー評論、建築評論、スポーツ評論、パチンコ評論、マージャン評論、食味評論、コーヒー評論、ソープランド評論、ポルノ評論、SM評論、評論評論、まだいくらでもありそうです。

石を投げれば評論家にあたるこの時代、なにも塩野博士だけが、無責任に注文を受けているわけではありません。

その上出演するメディアはテレビです。どうせ客は、カレーライスを食べながら、赤ん坊のおむつをかえながら、チューハイなど飲みながら、視聴しているのにきまってます。

万事ソツなく耳ざわりよくおもしろおかしく、しゃべればよろしい。

ベニヤ板と山台の演壇にのぼり、ライトを浴び、カメラの前に立った塩野博士は、ディレクターのキューを受けるや、おもむろに頭を下げました。

「動機のない殺人。

いわゆる通り魔。

つい昨日も、雑踏する新宿駅コンコースで、あたらしい犠牲者の出たことが、報ぜられました。

お気の毒な被害者は、年のころ五十年配。堂々たる恰幅《かっぷく》の、一流会社部長であったとか。

またその三日前には、これも同一犯人であろうと思われる、通り魔事件が発生しております。

場所は銀座の路地。

飲みすぎて小用を足そうとした紳士が、背後からするどいナイフでえぐられ、ほとんど即死に近い状態で発見されました。

ナイフは、近ごろはやっておりますサバイバルナイフ、ただし現物はいまなお犯人の手中にあるものと思われます。

——従来から、通り魔事件と称する犯罪は、たびたび記録にあらわれております。

高名な切り裂きジャックも、そのひとつでありますが、かれに象徴されるように、事件の多くは、性的欲望がその動機でありました。……しかるに」

1カメに点《とも》っていた、真紅のトリーランプが消え、2カメのそれが点灯しました。

（クローズアップに切り替ったな）

1カメというのは、もっぱら下手《しもて》に陣取ったテレビカメラです。

カメラの手順は聞かされていませんが、塩野博士ほどのトーク番組のベテランになると、おおよそのカット割りまで想像がつきます。

かれは不自然でない程度に首を回して、2カメのレンズに正対しました。

「このところ連続発生しておる通り魔事件は、セックスに無関係なように見えます。なぜなら被害者は、中年の男性ばかりです。

では物盗《と》りの犯行か。

これもおかしい。新宿のケースでは、被害者からなにか盗もうとしても、目撃者が多すぎて不可能でありましたし、銀座の場合びた一文盗まれていない。

怨恨の線も否定されました。

被害者のあいだに、なんら共通する因子がないからです。

かくて、理由なき殺人というタイトルが、リアリティをもって迫って参りますな。

おそるべきことは、犯人は、ただ殺人がしたいがために殺している。殺人淫楽症！そうとしか考えられないではありませんか」

カメラがまた切り替りました。

こんどは3カメが、博士のにぎりしめた拳を撮《と》っています。

「にもかかわらず、です。

犯人は殺す相手がだれでもよかったのではない……三つ揃《ぞろ》いの背広を着こみ、あるいは最新のファッションに身をかため、一見して社会的地位の高い人間が、標的にされております。

それから類推するに、犯人は、社会的な弱者ではないか。

管理化された社会の下層部で、窒息寸前のしいたげられた犯人が、理屈に合わぬことを承知で、及ばずながらも狂気の反抗をこころみようとした。

それが今回の通り魔事件――理由なき殺人の真相であると思うのですが、みなさんはどうお考えでしょうか」

塩野博士は、テレビが好きでした。

(ギャラは安いが、なんといっても広汎に名を売りこめる。地方へ講演に行けば、テレビに出たというだけで、名士あつかいしてもらえる)

ただ残念に思うのは、要所要所に起こるべき拍手が、聞えないことでした。

驚　喜

心地よい興奮のいっときが過ぎ、塩野は上機嫌で帰路につきました。

生放送が予定されていたのに、実際には、リハーサルが完璧に行われたため、そのリハーサルを撮ったビデオが、放送に流れることになって、塩野は予定より一時間も早く、テレビ局を辞去することができたのです。

妻のうめ子《こ》は、帰っているでしょうか。たしか今日は、ゴルフに出かけたはずです。晩婚の博士は、まだ結婚して七年にしかなりません。うめ子とは、十八歳も年の差があります。

金はあっても暇のない塩野博士でしたから、妻の遊び相手をしてやることができず、その代償として、彼女にできるだけ自由な時間を与えてやっていました。

「今夜は、テレビに出るんでしょ。じゃあその時間までに、うちへ帰ってテレビを見るわ」

そんなことをいって出かけた妻でしたが、正直なところ塩野は、期待しておりません。子どものいないうめ子は、実年齢三十二歳とはいえ、二十歳前半にすら見えるみずみずしさでした。

(遊びたい盛りなのだ……好きなだけ遊ぶがいいさ)

寛大な塩野は、六本木にあるマンションへはいって、わが家のドアを解錠しました。

(おや)

ひと足踏みこんで、塩野は立ち止まりました。

玄関に点《つ》いている明かりは、博士が家を出るときわざと点灯しておいたものですが
――ベッドルームから、テレビの音が洩れてきます。

「動機のない殺人。

いわゆる通り魔。

つい昨日も……」

あきらかに塩野博士自身の声でした。

ちょっとおどろきましたが、考えてみると当然です。局から家に帰り着くのに、車の渋滞で時間がかかったので、放送がはじまってしまったのです。

ひと足先に帰ったうめ子が、夫の晴れ姿を見ようと、テレビのスイッチを入れたのにちがいありません。

微笑して、ドアのノブに手をかけた博士は、その姿勢のままマネキン人形みたいに硬直しました。

「ひどい顔だわ」

と、妻の声。

「あんな男の子どもを生まなくて、よかったじゃありませんか」

と、男の声。

男？

なんだって、妻と私のベッドルームに男がいるんだ？

お笑いになってはいけません。

断言いたしますが、世の亭主の九十五パーセントは、うぬぼれ屋であります。

おれは浮気するが、女房はしない……。あいつに男を連れこむなんて、そんな大胆な真似《まね》ができるもんか！

そう思いこんでおいでです。あなたも、ここに登場した塩野博士も。

それにしてもヒドイカオとはだれのことでしょう……。

（私のことだ！）

闇討にあったみたいに、頭がぼうとして、塩野はなおもその場に立ちつくしておりました。

ドアごしに、情夫と妻の会話がつづきます。

「でも、テレビって便利だわ」

「そうですね……こうして、あなたの旦那が映っているあいだは、絶対安全」

なるほど、と塩野は考えました。

かれは今日のテレビ放送が、ナマであるとうめ子に話しておいたのです。

そこで彼女は、安心してわが家を情事の場所にえらんだのでした。

ベッドルームの会話は、いつの間にかとぎれています。

それに代って洩れはじめたのは、うめ子のかすかなあえぎでした。

「ああ……あ……」

妻が、見知らぬ男の前で、みだらに肉体をひろげているというのに、テレビの塩野博士は、淡々とレクチュアを進めさせておりました。

「……しかるにこのところ」

「あう……ふうん、ふうん」

「連続発生しておる通り魔事件は」

「はあ……はあ、はあ、はあ」

「セックスに無関係なように見えます」

「いーッ！　いい、いいッ」

「なぜなら被害者は」

「ひいいい」

「中年の男性ばかりです」

中年の男である塩野博士は、ほそい目をむりやり見ひらいて、ベッドルームのドアをにらみつけました。

気の小さいドアだったら、たちどころに穴があいたかもしれません。

塩野の視野に、幻覚が生じました。

うめ子の浅黒く健康にひきしまった裸体が、よじれ、うねり、波打つ、狂乱の姿。それは、かつて博士の――夫の前にさらしたことのない、女のよろこびの形相でありました。

たぶんうめ子は、自分でもおどろきあきれているにちがいないのです。ついぞ夫が教えてくれなかった、底知れぬ性の喜悦！

「……」

いまにもノブを回しそうだった塩野は、うなだれました。

磯《いそ》に砕ける怒濤《どとう》のように、一旦空高く舞いあがった憎悪の念は、このとき博士の心の中で、陰画のままに焼きつけられたのです。

俠気

しばらく、妻も男も、塩野がへやへはいったことに気づきませんでした。

体位を変えようとしてか、体を直角に動かした男が、まず侵入者を発見しました。

「あ……」

声にならない声。

「どうしたの、昭吾さん」

組み敷かれていたうめ子が、もぞもぞと顔をあげると、これまたことばを失いました。

「そんな、……」

テレビでは、まだ塩野の講義がつづいています。

ブラウン管と実物の夫を見比べたうめ子は、きょとんとするばかり。実は、ドアを背に立っている塩野は電送人間で、どこかにあるスイッチを切れば消えるのだ――そう思っているのかもしれません。

「あいにくだが、私はほんものだ」

と塩野が機先を制しました。

「きみをだますつもりはなかった。……今日になって、急にナマ放送がビデオに変更されたんだ」

それからジロリと、男を見て、

「こちらのお方は？　だめじゃないか、きちんと紹介してくれなけりゃ」

「は、あの」

毛布で下半身をかくしていた男が、ベッドの上で正座しました。

年のころ三十前後、中肉中背、のっぺり型で、女にはもてそうですが、塩野の好みではありません。

（その方がいい）

と、博士は考えました。

(いずれきみを殺すのだから)

「私、戸並昭吾と申します」

図々しいくせに几帳面《きちょうめん》なところもあるようで、男はむきだしの膝小僧をそろえて、名乗りをあげました。

「戸並昭吾さん……ね。名はおぼえておこう」

決して凄《すご》んだつもりはありません。

それどころか、インテリの名誉にかけて、クールに、平静にしゃべったはずですが、突如としてうめ子は、パニックにおちいりました。

「わるいのは私よ、ううん、昭吾さんは私に誘惑されたのよ！　なおいけないのは、あなただわ、仕事仕事で私をほったらかしにして、おまけに今日はナマだゆっくり遊んでこいなんてわかったようなことをいうから私だって昭吾さんだってあなたはいないいないゼッタイみつからないみつからなければなにもなかったのとおなじじゃないかそうよねそうだわそうともさだから私たちここへ来てたのだましたのはあなたわるいのはあなた昭吾さんちっともわるくない！」

なにやらめちゃくちゃな理屈でしたが、その程度の主張は、とっくに予想していましたから、塩野は彼女の論理が一段落するのをみすまして、笑みさえたたえながら話してやりました。

「まあ、落ち着きなさい。私はなにも戸並くんを告訴するだの、お前を離婚するだのとはいっていない」

「え」

現金に、うめ子のパニックがおさまったところを見ると、七割方演技だったようです。

「とおっしゃいますと」

昭吾が、おそるおそる口をはさみます。

「念のため聞いておくが、あんたはサラリーマンだろうね」

「はあ」

会社に乗りこまれたらどうしよう……と、男の顔に書いてあります。

よせばよいのに、うめ子が解説をくわえました。

「一流商社につとめているわ」

「奥さんやお子さんは」

「子どもはまだです……女房がひとりおります」

わざわざひとりとことわらなくてもよさそうなものですが、昭吾だって頭に血がのぼっているのでしょう。

「部長さんのお嬢さんと結婚してるの。出世株なの」

また、いわずもがなのうめ子の発言です。あわてた恋人がかぶりをふるのを見て、さすがに彼女も口をつぐみました。

「なるほど……するとあんたにとって、今日の不始末は、ほんの火遊びだったんだね」

「は、はい」

「二度とこのようなふしだらはやらないと、約束できますか」

「はい」

「それなら」

と、塩野はゆとりのある表情を浮べていいました。

「今回に限り、なかったことにしよう」

「は！」

昭吾がベッドに手を突いたので、ぎいぎいとスプリングが軋《きし》みました。

チラと横目で見ると、うめ子が不服そうに頰をふくらませています。

それを無視して、塩野は、ことさら磊落《らいらく》げにいいました。

「白状すると、私はあんたに感謝したいほどだよ」

「はあ？」

昭吾もびっくりしたようです。

「正直いって、私には妻をあれほどよろこばせる力がなかった……いや、力がないことに気がつきさえしなかった。その意味では、お前にも詫《わ》びなくてはならん」

塩野は、うめ子にむき直りました。

「私に?」

「そうだ」

もっとも知的に――。

インテリふうに――。

テレビカメラの前へ立ったときの表情を、こまかく思い出しながら、塩野はお芝居をつづけます。

そう、ここが大切なところなのです。

(絶対に自分に殺意があることを悟られてはならない)

「夫として、私は怠慢だった……年齢もはなれていることだし、仕事さえきちんとしておれば、それで夫の合格点をとったつもりでいた」

(私はね、うめ子……子どものころから優等生で通してきた。私は賢いのだ。学界でも、マスコミにはいっても、いつも主役をつとめてきた男だ。だますことはあっても、だまされることなぞ、あってはならんのだ)

「だがちがっていた。妻のお前を人なみによろこばすこともできんで、亭主面しておったのが恥しい」

（この場へふみこまず、あとで男の正体を調べて、殺す……そうすれば、私に疑いのかかる余地は少なくなる。私と戸並昭吾のつながりが、不明であるかぎりはね。しかしそれでは、私は、一生お前にまぬけなコキュと思われるだろう。いかん……我慢できん……だから私は、あえてお前たちの現場を押えた。たとえ私に、戸並昭吾殺しの動機が生じようと、かまわない。私ならではの工夫をこらして、完全犯罪をやってのけるとも！）

「そのことを、戸並くんは、私に教示してくれた……ゆえに私は、かれを許そうと思うのだ」

さすがにうめ子も、反抗の態度を示しませんでした。

より率直に感動してみせたのは、昭吾です。

「ありがとうございます、博士……あなたの男らしいおことばを聞いて、心から反省しています」

（ばか）

塩野は、心の中でせせら笑いました。

「いやいや」

顔の方は寛大に笑って、

（お調子者め……すまないが、あんたの上衣から名刺を一枚、ひっこぬいておいたよ。

また近い内に会おうじゃないか)
それまでに、完全犯罪にふさわしいトリックを考えておかなくては。
「反省するのはお互いさまだ。雨降って地かたまるとゆきたいものだね！」

狭　軌

トリックはすぐ考えつきました。

あとはタイミングの問題です。

手に入れた名刺で、戸並昭吾のつとめ先を知った塩野は、妻に内緒で昭吾を呼び出しました。

ふるえあがって、昭吾が、指定された喫茶店へとんできたこと、もちろんです。

「なんの……ご用でしょうか」

「まあ気を楽にして」

と、塩野は悠々たるもの。

「あの一件はあんた、なかったことになっているんだよ」

「はあ」

そういわれても、当人としてはまだ安心できない様子です。

思って、あわてたのです。

「その後、ゴルフへ行ってるの」

「とんでもありません」

昭吾はオーバーに手をふりました。

かれとうめ子が知りあったのは、ゴルフ場でしたから、塩野に皮肉をいわれたものと思って、あわてたのです。

「そう心配しなくても……今日はね、あんたとビジネスについて話しにきた」

「ビジネスとおっしゃいますと」

「うん。商社は儲け口ならなんだって飛びつくと聞いたが」

塩野は、ポケットからスプリングらしいものを取り出しました。

「これは私の研究の一部だけれど、形状記憶合金というのを、ご存じかね」

「形状記憶合金」

その名を復唱した昭吾は、ふしぎそうに首をふりました。

「不勉強だな」

笑った博士は、スプリングを相手に突きつけました。

「よく見たまえ……これはニチノールといって、ニッケルとチタンの合金だが」

ライターをつけた塩野は、その火でスプリングをしばらくあぶっていました。

「？」

目をぱちくりしていた昭吾の前で、スプリングが、だしぬけにピーンと直線に変化したのです。

「わっ」

あわや、眉間をつらぬかれそうになった昭吾は、のけぞりました。

「や、失礼……ごらんの通り、この合金は奇妙な性質を持っておる。最初に焼きなおして、成形したときの形をおぼえているのだよ。たとえば、六五〇度の熱で真直《まっす》ぐにしたワイヤーを切断して、アンテナをつくったとする。このアンテナを折りたたむ。ひろげようと思えば、熱するだけでいい……そうすれば、もとの直線状態を思い出そうとするから、至極簡単に大きくなる」

「ほう……」

手品のような話をされて、昭吾は感心するばかりです。

「すでにイギリスの人工衛星で実用化されているし、日本でもおもちゃにこれを応用した例がある」

「なるほど」

「……と、ここまでは、その道の人間なら周知のことだが、私は、さらにそれを改良し、極性化して、あたらしい合金の開発に成功したのだよ」

塩野は、真剣な口調でささやきました。

「もしかしたら、途方もない発明だ……だが、商品化するには、当り前のことだが金がかかる」

「……」

昭吾が、力をこめてうなずきました。

「へたに動けば、開発の功績をよそへとられかねない……ここはひとつ、金と組織の力を持つ商社にあたってみよう。そう考えていた矢先に、あんたとコンタクトがついたのでね」

「わかりました。すぐ上司に相談してみます」

「いや、それはまずい」

塩野が首をふりました。

「その前に、まずきみひとりで私の研究の成果を見てほしいのだ……果たして、商品として使いものになるかどうか。もしそれがうまくゆきそうなら、きみが私の代理人となって、商品化のめどをつけてくれ」

「先生がそこまでおっしゃるなら、大丈夫ですよ」

昭吾は、たのもしげに塩野を見ました。

「すごいですね……マスコミであれだけもてはやされていながら、本職の方で、そんなすばらしい業績をおあげになるなんて」

うらやましそう――というより、むしろくやしげな調子で、昭吾は、相手の自負心をくすぐりました。

「大したことはないさ、きみ」

「天は二物を与えずといいますが、例外もあるんですね」

「お世辞はよしたまえ」

苦笑した塩野は、本題にはいりました。

「そこで早速だが、私の研究室に来てほしいのだ」

「かしこまりました」

「ただし、いま話したような事情だから、内密にね……会社にも、奥さんにも」

「もちろんです」

「私自身、だれにも場所を教えていないのだ……個人のささやかな設備だから、少々都心を外れるよ」

「はい」

「では今夜……七時に新宿で」

「必ず、うかがいます」

昭吾は約束通り、博士の指定した喫茶店へ七時五分前にあらわれました。

（乗ってるな）

塩野にとって、思うつぼです。

(ま、それもむりはないか……ビジネスマンとして、絶好のチャンスが目の前にぶら下がったんだ)

塩野が垂らした餌に、大口あけて食いついた昭吾は、なんの疑念も抱かず、博士に従ってロマンスカーに乗りこみました。

新宿から町田《まちだ》まで。

指定席券は、すでに塩野が入手しておいたものです。

ロマンスカー独特の、ホームの土埃《つちぼこり》をなめそうなほどひくいシートに体を埋めて、塩野博士はゆったりとした気分でした。

「研究室は、町田のマンションにある……それまで、私はひと息いれるよ」

隣席の昭吾にことわってから、博士は目をつぶりました。

発車したロマンスカーが、南新宿のカーブで大きく車体をかたむけるのを感じつつ、かれは、自称するところの「完全犯罪」の設計図を、あらためてチェックしてゆきます。

まず、犯行の舞台であるマンション。

(私は、戸並昭吾と名のって、不動産屋に電話をかけ、条件に合う貸室の紹介を受けた……)

いわれるままに礼金・敷金・へや代を現金書留で送りつけ、キイをマンションの管理人にあずけさせる……。

（変装には気をつけたつもりだし、戸並の代理ということでキイを受け取った……）

博士が、第三者の目にふれたのはこのとき一度きりでした。

（そのへやへ彼を連れこみ、発明品を見せる前に、乾杯しあう……）

博士を信頼しきっている昭吾が、いやがるわけはないのです。

（コップの中には、青酸がはいっている……）

塩野が勤務する金属学の研究所から、こっそり持ち出したものです。

（死んだかれをのこして、私は表へ出る……その際、現場を密室にする……）

これが、博士の完全犯罪でした。

密室の中で毒死したサラリーマン。しかもそのへやは、かれが自分の名義で借りたものです。自殺と断定されるのは、目に見えていました。

昭吾と塩野夫人の関係が明るみに出ればともかく、かれと博士をつなぐ糸は、どこにもありません……。

目を閉じたまま、博士は、かすかに首をふりました。

カタタン、カタタン、カタタン。

多摩《たま》の鉄橋を渡ったロマンスカーは、やっと特急電車らしいスピードになりました。

新幹線では味わえない狭軌のリズムが、塩野の体をゆすります。

(問題は、どうやって密室をつくるかだが……)

カタタン、カタタン、カタタン。

(あのマンションは、オートロックを採用している。つまり、キイがなくても外から施錠できるのだ)

それでは、たとえドアがロックされていても、密室ということはできません……昭吾の死が、自殺と判断されるには、犯人の出入りが不可能という状況をつくっておくほかないのです。

(そこで私は、ドアの内部に掛金をとりつけた……)

カタタン、カタタン、カタタン。

(受け金はふつうの金属だが、掛ける棒は形状記憶合金だ……成形したときはまっすぐな棒、だがあとで力を加えて曲げてある……)

カタタン、カタタン、カタタン。

(だから、犯行をおえて外へ出るのになんの支障もない……あとは外から、ドアをあぶればいい……)

カタタン、カタタン、カタタン。

(ドアはスチール……熱をよく伝える……あたたまった合金は、もとのまっすぐな棒に変形する……ガチャリ!)

カタタン、カタタン、カタタン。

（掛金はかかった……金属棒の材質を調べることなぞ、だれが思いつくものか……こうして密室は完成する）

カタタン、カタタン。

塩野博士は、うっすら笑みを浮べて、寝入っておりました。

凶器

町田市は、小田急沿線でも大きな町です。

駅の周辺には巨大デパートが商圏をせりあって、大繁華街の様相でしたが、五分も歩くとむかしながらの静かな住宅街が、とってかわりました。

同時に下車した大勢の客も、いつかまばらになって、畑まじりの建売住宅が、淋《さび》しくつづいているばかり。

「もうすぐだよ」

いいわけがましく、塩野が昭吾をふりむきました。

そうです、もうすぐです……昭吾の命が消えるのは。

「念を押しておくが」

と塩野はいいました。

「ここへ来たことは、だれにも話しておらんのだね」

「はい、だれにも」

昭吾が、固い声で答えます。

「先生もですか」

「むろん」

博士は白い歯を見せました。

被害者が犯人に、ズレた念の押しようをする、そのまぬけ加減がおかしかったのでしょう。

「それは、よかった」

ふいに、昭吾の体が向きを変えました。

と思うと塩野博士は、脇腹に熱鉄を刺しこまれました。

「あっ」

声は——出すことができません。

昭吾の掌《てのひら》が、博士の口をふさいでいました。

「先生が、テレビでおしゃべりになっているのを、先生のベッドの上で聞きました」

機械のようなしゃべりかたです。

「通り魔は、社会の弱者だそうですね……つまり、ぼく、ぼくみたいな」

淡い街灯の光に、怪物じみた昭吾の笑顔がひろがりました。

「き……きさ……ま」

塩野は、うめくことさえできません。えぐられた腹部から、おびただしい血が流れ出て、かれはいいようもなく疲れ果てておりました。

「はた目には、ぼくだって商社につとめて出世コースをあゆんで、エリートのはしくれかも知れませんがね。わかっているんだ、ほんもののエリートなんか、なれやしない……なまじ手が届くような錯覚があるもんだから、あせるんです。

ほら、馬の前にニンジンをぶら下げて……あれですよぼくたちは。決して口にはいることのない御馳走《ごちそう》のため、無我夢中で走らされて。

もういやだ！

大声あげて逃げようと思ったときには、おそかった。

その鬱憤を、サバイバルナイフに托《たく》したといやかっこよすぎますかね。むかし見たチャンバラ映画じゃないけれど、斬って斬って斬りまくって、悲愴《ひそう》な最後をとげるヒーロー。そんなのにあこがれているのかな、ぼく」

塩野の耳には、もう昭吾の声は届いていませんでした。

ちがう……

どこかちがっている……

私はだまされるはずはない……

殺すのは私の方だった……そのためにあれほど頭をしぼったのに……

こいつの殺し方といったら、なんだ……ゆきあたりばったりに、ナイフをふり回しているだけじゃないか……

おなじ死ぬなら……

もっとはなやか……に……

きらびやかに……スポットを浴びて……死ぬのが……私なん……だ……

「ビジネスくそくらえ。商品開発くそくらえ、働かず怠けず、うわべをごまかしながら、ふわふわ暮らそう、たのしもうと思っているぼくに、こんなおいしい話を持ってきたのがまちがいですよ」

機械的な口調の裏に、かすかなあわれみのひびきがありました。

「金があって、地位があって、人間としてりっぱな先生が、この上すばらしい商品をつくりだすなんて許せない！　そう思ったもんだから、会社がひけるとすぐ、ナイフを用意したんです。おまけにこんな、通り魔にはあつらえ向きの場所へ誘うなんて。先生がわるいんです、先生が……」

第三話　欠陥結婚

女の場合

――いなくなってしまったんです。

だれが？

花婿が。

どこで？

結婚式場で。

ねえ、そんなとき貴方《あなた》が花嫁だったら、どうします。ドレスのベルトを鴨居《かもい》に下げて、首吊《つ》りますか。ウエディング・ケーキの角に頭ぶつけて死にますか。いっそ彼をあきらめて、式場にごまんといるよその花婿をユーワクしますか。

まったくの話、冗談でも下段でもなく、おいてけぼりを食った花嫁河内佳子《かわちよしこ》は、泣きたくなりました。

ウェーン。

おや、ほんとに泣きだした。

はたちを過ぎた娘にしては、色気のない泣き方ですね。

ウェーン、ウェーン。

「英男《ひでお》ちゃん、泣かないでよ。泣きたいのは私の方なんだから」

アーン、アンアン。

「アンアンでもノンノでもいいけど、君のパパはどうしちゃったのよ！」

ご紹介しますと、泣いているのは佳子ではなくて、彼女が今日結婚するはずだった田《た》代《しろ》友《とも》夫《お》の一粒種英男くん、四歳です。

これが友人親族大々的に集まって、帝国ホテルの鶴の間（そんなとこ、あるかどうか知らんけど）で披露宴をやらかすというのなら、大変中の大変でしたが、幸か不幸か佳子のとりおこなう予定だった結婚式は、国旗をバックに区民会館で挙式するという、もっとも素朴な――いいかえれば、もっとも安上がりなタイプでしたから、まだしも大変中の小変でありました。

とはいえ、式直前に花婿に蒸発された佳子にとって、これほどの大事件、天地がひっくりかえるほどのショックはありません。

おまけに友夫は、坊やを置き去りにした！

つい一時間前、三人で区民会館の玄関をくぐったときには、そんな気配はまったくありませんでした。それが、貸衣裳《いしょう》のモーニングに着替えるといって別室へ入ったきり、姿をくらましてしまったのです。

しかも、……佳子は今も主張してやまないのですが、田代友夫は密室の中で消え去りました！

「ばかばかしい」

「ほんとよ。だって私、ずっと見ていたんだから！」

「少し頭を冷やしなさいよ。大の男が鍵のかかった部屋の中から消滅するなんて、物理的に不可能でしょ」

メガネを光らせてクールにいうのは、佳子の友人であり、今日の付き添い役、佐原定《さはらさだ》子《こ》です。

花婿を探しあぐねて心身ともに疲れ果て、控室の畳にべったりと坐り込んでしまった佳子でした。

「でも私、廊下のソファで待っていたのよ。絶対にドアから目を離さなかったわ」

もちろん彼女もドレスを借りるのですが、寸法のあわないところを直してもらう間、ずっと友夫の入った部屋の前にいたのです。

三十分もたったでしょうか、しびれをきらせた佳子がのぞいてみると、部屋の中には友夫の姿がありません。ただ英男がすやすやとお昼寝しているばかり。風邪をひかせてはと思ったのでしょう、小さな体の上に、友夫の着ていたコートがくしゃくしゃにかかっていました。

裏庭に面してひとつしかない窓には、英男がいくら手をのばしても届かない高さに、古めかしいしんちゅうの落とし金ががっちりとかけられており、がらんとした畳敷きの部屋にはせいぜいハンガーがぶら下がっている程度。おとなどころか赤ん坊だって、かくれる場所がないでしょう。

ドアのすぐ内側、踏込みにぬいだはずの友夫の靴も見当たりませんでした。

呆気《あっけ》にとられた佳子を、そのとき貸衣裳の係が呼びにきました。眠っている英男を起こすのもかわいそうで、心を残しながら佳子はウエディング・ドレスに着替えました。

定子に頼んで様子を見に行ってもらったのですが、やはり英男しかいないとのこと。

はじめはそれほど重大にも考えていなかった佳子も、次第に心配が募ってきました……。

そして、今。

すでに挙式の時間が過ぎたというのに、友夫はついに現れません。

「あのう」

係員がおずおずと顔を出しました。

「けっきょく式はキャンセルなさるんですね」

「見りゃ雰囲気わかるでしょう」

定子がいいかえします。

「いやなことを、いちいち念押さないでよ。一番傷ついてるのは本人なんだから。ねえ、よっこ」

と、定子だってけっこう念を押しているんですが。

「となりますと、そのドレスもお返しくださらないと……」

「あ、そうだったわね」

催促されて気がつきました。鏡の中の自分を見て、ひどく滑稽に思えます。花婿に逃げられた花嫁なんて、たしかに滑稽以外のなにものでもありません。

「ええ、キャンセルでしたら、別の方に控室を使っていただきますので、どうぞラウンジでご歓談を」

だれが歓談なぞするものですか。

「なによ！　どうせキャンセル料ごっそり取るんでしょう。だったら五分や十分使わせなさいよ。けち！」

定子の権幕に恐れをなして、係員は佳子のドレスだけ剝がすと、あたふた出てゆきました。

「どうしてぬぐの」

いくらか機嫌の直った英男が、佳子にそんなことを尋ねます。

まさかあんたのパパのせいだ、とはいえません。佳子になついたとはいえ、まだまだ英男は父親一辺倒でした。

「だからいったでしょ、よっこ」

と、定子はいなくなった英男の父親について、容赦がありません。

「あんな正体不明の男にひっかかったら、ロクなことないって」

「なにかの間違いよ」

佳子は頬をふくらませました。

高校以来の友達だけに、定子は遠慮がありません。世話好きでこまめでとても重宝な友人なのですが、惜しいことに人を疑い過ぎます。もっとも彼女にいわせると、佳子は人を信じ過ぎるそうですが。

「間違っているのは、あなただわ。出会ったところが深夜スナックでしょう。ああいう店にはロクな人間が集まらないのよ」

「あら、あなたじゃないの、ゆきつけの店だって『美枝《みえ》』を教えてくれたのは」

「私は例外」

定子は平然としていいました。

「だから私は、よっこがあそこでバイトするのも反対だったわ。あなたみたいに信じやすい女の子は、だまされるに決まっているものね」

『美枝』というのが、佳子の勤めているスナックです。はじめはアルバイトとして入った店でしたが、仕送りしてくれていた叔母の家が倒産したので、潔く女子大生の看板を下ろして、水商売を本職にしたばかり。

両親は彼女が子供のころにつづけて死んでいましたから、その意味では定子がうらやむほど自由な境遇でした。ただしお金には思いっきり不自由な境遇でしたが。

『美枝』の常連のひとりで、翻訳の下請けで食べている田代友夫も、親子で食うのがやっとという点、佳子と似たりよったりでした。奥さんが病死して間もないとかで、やんちゃ盛りの英男に振り回されている様子がありありとうかがわれました。

男手ひとつで子育てにがんばっているものの、ときにはカウンターごしに佳子に愚痴をこぼすことがあったのです。

「せっかくの仕事が、つい子供にかまけてお留守になる……といって坊主も、ママに死なれて淋しいからね。それがわかっているだけに、まつわりつくのを叱れないんだ」

「……なーんていっては、よっこに取り入ってたじゃない」

と定子はりきみます。

「はじめから、英男くんをダシにして接近を図ったのよ。危ないと思っていたら案の定！　……見えすいてたわよ。いやな奴！」

「友夫さんをそんなふうにいわないで」

佳子が目を剝《む》いて怒りました。それでなくともつぶらな瞳、本人にいわせるとドングリ眼《まなこ》だそうですが、いっそうでかくなって迫力があります。

「だって事実が証明しているわ。あいつは英男くんをあなたに押しつけて、ドロンしちゃったのよ。あなたは廊下にいたというけど、一度くらいよそ見したこと、あるんじゃなくて?」

「ううん、ない。絶対にない」

「あのねえ、人間のすることに絶対なんてありえないのよ。目の前を奇麗なお嫁さんが通ったりすれば、そこは女心だもの、ちらっと横目使うもんよ。そうなのよ……その隙にあいつが逃げたんだわ！　実の子をおいてけぼりにして。人間のやることじゃないわよねえ！」

定子の憤慨はいつおわるともしれません。

「きっと、サラ金かなにかに大金焦げつかせてさ、首が回らなくなって蒸発したんでしよ。そういえば、ほら！　区民会館の中をうろうろしてる二人組がいたでしょう」

「ええ……変な男たちだったわね」

「あいつらが、取立屋だったのよ。道理で目付きがおかしかったな」

「そんな腕っ節が強そうに見えなかったけど」

「じゃあ刑事よ、きっと。あいつ会社の金をつかいこみしたんじゃなくて」

「友夫さんは会社なんて行ってないわ」

「それなら『美枝』の売り上げかっぱらったとか」

「無茶いわないで」

まるで被害にあったのは、定子みたいな憤慨ぶりです。

「とにかくロクな奴じゃなかった！」

タイミング悪く、そこへまた係員が顔を出しました。

「あの……控室はまだ……」

「ロクでもないこというな！」

男の場合

友夫は逃げた。

定子が推察したのとはちょっと違った理由だが、逃げたことに変りはない。区民会館をあとにして、五十メートルも走っただろうか。目の前に停《と》まっていた銀色のトラックが、友夫にとってはもってこいの隠れ家に見えた。

横腹に書かれた文字は「郡山《こおりやま》冷凍」。友夫はとっさに後部の扉をひらいて、中へもぐりこんだ。冷却機の発するアンモニアっぽい匂いも、緊張しきった友夫には気にならない。内部には箱詰めされた魚が積み上げられて、まるで海へほうりこまれたような潮の香りと生臭さが、微妙にブレンドされていた。

ここなら、いくらしつこいあの連中でも気がつかないだろう。寒いのをこらえて、友夫は箱の蔭《かげ》にうずくまった。

(時間はまだある)

友夫は余裕を持っていた。そう結婚式の時間まで、まだたっぷりとある。廊下で待っている佳子のことが気にかからなかったわけではないが、今はあの二人組をまくのが先決だった。

あとで考えると、友夫はそこでとろとろしたようだ。無理もなかった。ゆうべはこれから先、佳子と結ばれたあとの家庭風景を想像して、ほとんど眠っていなかったのだから。

ふと我にかえると、……ガチャーン。そんな音を耳にしたような。

なんだ?

なんの音だ?

目をあけると一緒にくしゃみを連発して、友夫はもう少しで尻餅をつくところだった。

(ここはトラックの中だ)

では、あの音はかけがねを掛ける音！

仰天した友夫、扉にとびついた。

が、もうおそい。たたいてもゆすっても、返事はなかった。どうやらかけがねを下ろした男は運転席へ去ってしまったようだ。がくんと乱暴な衝撃を残して、トラックは走り出した。まったく無防備な姿勢だった友夫は、頭を金属製の内壁にはげしく打ちつけてしまった……。

そして女は

佳子は英男の手をひいて、田代友夫のアパートへ帰りました。

英男はともかく、佳子は帰ったといえるのかどうか。だが、挙式の前日に彼女が下宿をひきはらって、なけなしの荷物ごと、この部屋にころがりこんでいたのは事実でした。もはや佳子には、ここ以外、身を寄せるところがありません。

――そこは、新宿の北、職安通りを越えたごみごみした一角です。住宅とうらぶれたラブホテルがまぜこぜに建っていて、ひっきりなしに赤ん坊の泣く声が聞え、サンマを焼く匂いがただよってきます。

アパートの名前は第二平和荘。

第二、とあるからには当然第一もあると考えるのが常識ですが、実は大家のおっさん金原《かねはら》氏の家作はこれ一軒。なぜ第二とつけたのかと尋ねると、

「アパートを仰山持っとるようで、景気よう見えるやないか」

という答えでした。

ことばからわかるように、金原氏は関西の産です。上下あわせて六室の住人ものこらず地方の出身者。秋田・鹿児島・名古屋・北海道と、バラエティーに富んでいること。あとの二室は、ひとつが台湾からきた女性、もうひとつが田代家でした。

どの部屋の連中もお国の手形とばかり、ゴミの始末や騒音など問題が起こるたびに、おらが国さのことばをぶつけあいます。

以下その一例。

「んぐわ、さるかやぎ、しょわすねやつだ！」

「いらんおかめ！　うぜらしっ」

「ぎゃーぎゃーいやーすな」

「あいしゅまいねんぶ！」

「ずいぶーはおっ」

アイヌ語やら中国語までまざる始末です。

とはいえどの部屋も、生活力にとぼしい庶民が、ひっそりと肩をよせあって生きてい

る感じでしたから、嵐がおさまればけろりとして、米だの酒だの貸し借りしてる、そういう意味では佳子にとって決して住みにくいアパートではありません。

秋でした。

朝、友夫が縫った不細工なカーテンをひらき、窓を開けます。

カーテンをゆする風が、炊いたばかりの御飯の湯気を、佳子の頬に吹きつけます。

ああ、このカーテンのむこうに友夫の姿があったなら！

無心に箸をつかむ英男の上に彼の面影をかぶせて、佳子はほんの数秒間涙ぐみます。

それから、元気よくいいました。

「英ちゃん、今日はどこを探そうか」

佳子は消えた友夫を、あきらめていません。

どう考えても、彼は自分の子供を彼女に押しつけて、行方をくらますような男ではなかったのです。

これはなにか、事情があるのよ、なにか！

「そうだ。もういっぺん区民会館へ行ってみようか」

「……」

いつの間にか佳子は、返事があってもなくても、幼い英男を相手にしゃべる習慣がついていました。父親がいなくなっても、英男はあまりぐずりませんが、いまひとつ自分になついてくれないのが淋しい思いです。

その思いをふりきるように、佳子は陽気にいいました。

「推理小説にあったじゃない。犯人をつきとめるには、現場百回がモットーですって」

「なによ。とうとう彼を犯人あつかいしちゃったわね」

いいながら、定子が入ってきました。

そして男は

俺は誰だ。

俺は誰だ。

俺は……。

千回万回くり返した疑問に、答えはなかった。

彼は彼自身の名が田代友夫であることさえ、忘れ去っていた。頭部に受けた打撃が、彼を一時的な記憶喪失におちいらせたのだ。

トラックの運転手は、倉庫に着いてから友夫を発見して、狼狽《ろうばい》した。

幸いそのときには、友夫はもう息をふき返していたので、事件を内密にさせる約束で、運転者は小金を握らせた。記憶を失った彼がこの数日なんとか食いつないでゆけたのは、そのおかげだ。

だが、それももう底がつきかけている。なんとかして記憶を取り戻さなくては……。

友夫はあてもなく夜の町をうろついていた。かすかに、かすかに、彼の埋もれた記憶を刺激する色彩があった。

ピンクと紫の、毒々しいが、奇妙に人の欲望をそそりたてるネオン。

それは新宿の片隅に集まるラブホテル街である……友夫と佳子がはじめて結ばれた部屋もその一軒だった。無論いまの友夫に、そこまで思い出す力はなかった。

だしぬけに、彼の背でブレーキがきしんだ。

「気をつけなさいよ!」

女の声がした。車を運転していたのはどんな女か知らないが、お高くとまった口調だった。

もっとも友夫は、相手の顔を見きわめる元気もなく、その場にくずおれていた。車に触れたのでも酒を飲んでいたのでもなかったが、身も心も疲れきっていたのである。

そうとは知らない女は、驚いたようだ。

「ちょっと、貴方!」

車を下りた女は、夜目にも豪華な服装だった。僅かだがアルコールの匂いを発散させている。飲酒運転の上、人をはねたのでは、あわてないわけにはゆくまい。だきおこされて、友夫は苦笑しながら手をふった。

「大……丈夫……だよ」

「それならいいけど」

不安らしくあたりを見回した女は、男の腕をとった。

「休んだ方がいいわ」

実際、休む場所は軒並みにあった。万一、男がどこかに傷を受けているようなら、部屋へ入れておいて、逃げ出せばいい。ラブホテルなら、建物の中にいるかぎり人目を気にする必要がなかった。はじめから人のプライバシーに触れない設計がされているからだ。

目の前のホテルへ、友夫は連れこまれた。

日頃の彼なら、知らない女とラブホテルの門をくぐるなんて、ご遠慮させてもらうところだが、今夜の場合はなにかひとごとみたいで、およそ無感動にずるずるとついてきてしまったのだ。

「安い部屋しかあいてなかったけど、いいわね」

女がいう。

いったいこれはどういう種類の女なのか、今の友夫には詮索する気も起こらなかった。

彼女は実は、工学博士の妻である。名は塩野うめ子。夫に飽きて夜遊びにふけっている非行夫人、といったところか。だがいくら寛大な亭主でも、妻が新聞沙汰になるのを喜ぶはずはない。

「よかった……かすり傷ひとつなくて。ほんとにおどかすんだから」

ほっとしたうめ子は、次の瞬間、友夫を抱きしめていた。

「かわいいわ、貴方」

気がゆるんでみれば、男を抱くのにこれ以上ととのった舞台はなかった。だが、なぜか友夫はぼんやりした表情で、あたりに視線を投げていた……。

しかし女は

朝の光を浴びたラブホテル街は、なんともうら悲しく、それ以上に滑稽ですらありました。まるで厚化粧のはげたばあさんホステスです。

「こんな近くに、こんな建物が並んでちゃ、英ちゃんの教育によくないわね」

区民会館へ向かいながら、定子はいっぱし評論家のような口をききます。

「そういわないでよ。私には思い出のある場所なんだから」

「あ、そうか……あなたがあいつとはじめて出来たのがこのあたりか」

定子は溜息《ためいき》をつきました。

「運命の出会いというには、あんましロマンチックな場所じゃないけど。……あれでしょう、ビデオまで撮ったってやつでしょう」

「えーっ。そんなことどうして知ってるのぉ」

「やだよ、この女。自分で酔っぱらってしゃべった癖に」

「なんのビデオ?」

無邪気に聞いたのは、二人にはさまれて歩いていた英男です。

「アニメなら僕見たーい」

しかし男は

「駄目ね!」

うめ子がいらいらと声を高めた。

「朝になっても全然じゃない。みかけ倒し」

期待が大きかっただけに、あきらめきれない様子である。肝心の友夫はさっぱりその気になっていない。

「なにを珍しがってるの。ラブホテルははじめて? カマトトね」

「いや……いつか見たような気がするんだ」

「こういう所はどこも似たようなものよ。することは皆おなじなんだから」

人妻の割りに「こういう所」に慣れているらしい。それで彼女はすぐ、とっときの手を思いついたようだ。

「そうだわ、ビデオ……殿方は目を刺激するのが一番だっていうから、なにか見ましょうよ」

ご本人も、無論すっぽんぽんに脱いでいたし、ソープ嬢顔負けの決死的サービスにつとめたが、それでも男が臨戦態勢にならないのでは、仕方がなかった。

ビデオを操作したうめ子が、奇声を発した。

「馬鹿みたい……ビデオが消し忘れてあるわ。へえー……いつから残ってたのかしらね。がんばってる。まだ若いわ、女子大生よきっと」

新しいビデオだと自動的に録画が消えるタイプもあるが、これは違った。自分たちの肉弾戦を撮ったカップルは初心者であったとみえ、鑑賞後に絵を消すことを忘れて帰ったのだ。貴重なドキュメントにあとから来た客も敬意を表したのか、五分たっぷり純生ポルノが残っていた。

体位が変り、それまで背を見せていた男がカメラを向いた。

途端に、食い入るように画面を見つめていたうめ子が、驚きの声をあげた。

「これ……あんたじゃない！」

いわれるまでもなかった。

俺だ。

俺が……探していた俺が、そこにいる！

突如として友夫は、一切の記憶を回復した。当然といっていい、彼にとって佳子と肌をあわせたのは、それほど強烈な体験であったから。

「ど、どこへ行くのよ！」

背後に女の声を聞き流して、彼は本能的に急いだ……佳子と結婚するはずであった、区民会館へ。

そこで女は

あの日の控室はあいていました。

ドアを開き、中をのぞき、また廊下に出て長椅子に腰を下ろしました。

そんな佳子を、定子はじれったそうに眺めています。そして英男は、不安気でした。

「現場百回もいいけどね。そんなことをして、なにがわかるっての」

「黙って！」

佳子は懸命です。……そうだ、そう仮定すれば、なにもかも理解することが出来る。

彼女は英男をふりむきました。

「英男くん。君がここで眠る前に、パパなにかいいつけなかった？」

一瞬英男は迷ったような目付きをしました。

「うん。これからはお姉さんを、ママと呼べって」

「そうお。じゃ英男くんは、ママのいうことなら聞かなくちゃならないわよね」

「う、うん」論理に押されて、英男がうなずきます。

「教えて」佳子は恐ろしいほどの真剣さでした。

「パパはあの窓から出ていった……その後で、英男くんが落とし金を下ろしたのね」

「無理、無理！」

定子が呆れたように口をはさみました。

「見てよ、英ちゃんの手が届く高さじゃないでしょうが。踏台になるようなものは、なにもないし」

「踏台の必要はなかったわ……友夫さんの残したコ、、、ートがあるもの」

部屋に入った佳子は、落とし金を立てて、その先に自分のコートをひっかけました。コートの裾が畳を這《は》います。

「ね。こういう状態にして、友夫さんは窓から抜けだした。あとで英男くんは全身の重みでコートにぶらさがった」

佳子がコートの裾をひくと、落とし金が勢いよく受け金にはまりこんだのです。

「これが密室の出来たわけ」

「ごめーん」

急に英男がべそをかきはじめました。

「だってパパ、このことは誰にもいっちゃいけない、男と男の約束だぞっていうから、それで」

「いいのよ英ちゃん」

佳子はやさしく、坊やの小さな頭を撫《な》でてやりました。

「君はりっぱに約束を守ったわ。パパはどうしてもあの二人組に見つかりたくなかったのね。だから、誰にもいってはいけないって……」

ぽかんとして見ていた定子が、やおらいいだしました。

「なるほど、それで理屈はついたわね。その代り、貴方の彼が追われていたことが、いっそうはっきりしたじゃない。……サラ金でなければ、ごたごたに巻きこまれたやくざかしら。それとも女を殺して指名手配されてるとか！」

「あいにく、そのどれでもない」

不意に、すぐそばで塩辛声が聞えたので、定子はたまげました。

「なんですか、あな……」

いいかけて、あとはもぞもぞ口の中。

今の声の主でしょう、先頭に立った老人ははじめて見る恰幅のいい紳士でしたが、その後に従う男ふたりは――。

「貴方たちなのね！」

英男をかばって、佳子が一歩前へ出ました。定子にくらべると、ずっとおとなしい印象の佳子ですが、こんなときの強さは目をみはらせるものがあります。

「友夫さんを追っていたのは。あの人がなにをしたというんです」

老紳士は、珍奇な動物を見る目付きで、佳子の全身を無遠慮に見回してから、おもむろに口を開きました。

「あんたは？」

「田代友夫の妻佳子です」

友夫の妻。考えてみれば胸を張ってそう名乗りをあげたのは、これがはじめてのことでした。思わず佳子は、涙がこぼれそうになりました。

「そうか……あんたがのう」

意外なほど、紳士は深い声をもらしました。

「すると、この坊主が？」

「友夫の息子ですわ」

にわかに老人の顔が崩れて、おびえたように佳子の蔭からのぞいている英男に、肉厚な手をのばしたのです。

「おいで。わたしはおまえのおじいさんだよ」

「お……」

佳子は目をパチクリしました。いわれてみれば、老紳士は友夫によく似ています。

「すると……友夫さんの？」

「父だよ」

紳士は苦笑しました。「あんたはなにも聞かされておらんのか」

「はい」

「ようもそれで結婚する気になったね」

「だって……私が一緒になるのは、友夫さんです。お父さんじゃありません」

「ふむ。よかろう。少なくともあんたは、うちの財産目当てに友夫にいいよったのではなさそうだ」

「失礼しちゃう！」定子がいいました。

「いいよったのは、貴方のせがれの方なんだから。……だいたいなんですか、佳子には名乗らせておいて、そっちは知らんふり」

「英男といったな」

「お、これは失礼した……わたしは田代勝之助《かつのすけ》といいます」

「まあ！」定子は絶句しました。

田代勝之助といえば、家電関係の大メーカーをひきいる実業家として、マスコミに名が売れていました。たしか去年の収入は……いや、それどころじゃない！

「よ、佳子！　あんた大変だよ、玉の輿《こし》だよ！」

だが佳子は、しっかりと英男の腕をつかんだまま、緊張をくずしません。

「その息子さんをどうして追っていらしたんですか」

「追っていたのではない。……いや、たしかにそんな時期もあった。友夫はわたしに結婚を反対されて、家を出たのだ。よくある話といえばそれまでだが……風の便りに女が子供を残して死に、のちぞえをみつけたと聞いた。今度こそは許してやろう、そう思ってこのふたりを迎えにやらせたのだが……あの慌て者め」

田代は顔をくしゃくしゃにゆがめました。

「またわたしが結婚を邪魔しにきたと思ったらしい。そこで今日はわたしがじきじき出向いて、どんな嫁か見究めようと考えてな……ここへ来れば、なにかと教えてもらえるだろうと……いや、もうその必要はなくなった。あんたなら友夫のよい女房になりそうだ」

つい、佳子は涙があふれそうになりました。友夫さんは、やっぱりいい人だった……

あとは、いつあの人が戻ってきてくれるかだけど……気のせいか、それもすぐ。そんなふうに思えるの。うふ、また定子に怒られるかしらね。「楽天的過ぎるわよ！」って。

だから男は

友夫は、いつの間にか走りだしていた。結婚式の日はとっくに過ぎているというのに、なぜそんなに気がせくのか、なぜむきになって区民会館にむかうのか……友夫自身にもわからなかった。ただそこへ行けば、なにかが、誰かが、待っているような気がしていた。

第四話　未知への道

1

「どうも、ひどい雪ですな」

「はあ」

「このぶんでは、いつ動きだすかわかりませんなあ」

「はあ……」

「国鉄さんも大変だ。赤字に追われている上に、豪雪の始末までせにゃならん。……ごらんなさいよ、この列車」

「なんでしょうか」

「ガラガラというのも気がひけるくらい、すいとります」

「はあ。……空気輸送ってやつですね」

「あっはっはっ、まったくその通り。あんたおもしろいことをいいなさる。ちょっと、こちらに坐ってよろしいですか」

「は？　……ぼくの、となりへ」

「さようです」

「しかし、席ならほかにいっぱい……」

「あいとることは、私がいま申し上げました。なにね、こう見えても私は、淋しがり屋でしてなあ。まして夜汽車で、雪にとじこめられて、いつ動きだすやら見当がつかんときては……どっこいしょ」

「あ、いま、カバンどかします」

「これは、あいすまんですな。……ま、おひとつどうです」

「ぼくは……あまり酒をやりませんので」

「あまりやらん、というのは、少しはやるっちゅう意味ですな。さあどうぞ」

「は……申し訳ありません」

「あやまることはないよ。おうい！」

「わっ、びっくりした」

「失礼。ウイスキーがこぼれてしまいましたか。……おうい！　そちらの席のお嬢さん！」

「はい。私？」

「もちろんです！　この車両には、女性はおひとりしかおられんじゃないですか！　そんな、はなれ小島のような席では、いっそう寒くなってしまう。こちらにおいでになられんですか」

「私にも、お酒くださるの？」

「飲んでくださるか」

「えへへ」

「あ？　なにか私の顔についとるのかね」

「そうじゃなくて。アルコールの匂いを嗅ぐと、顔の筋肉がゆるむタチなんですよ」

「こりゃまたたのもしい。さ、さ、お若い方のおとなりへ。若い者同士がよろしいでしょう」

「どうぞ！」

「あら、すみません」

「なんでしたら、網棚のボストン、こちらへお運びしましょうか」

「いいんです。大したものははいってないし、それにこの雪では、泥棒だって逃げられませんわ」

「まったくだ。ははは」

「ほほほ」

「うはは……あんたも現金な人だなあ」

「え、ぼくがですか」

「さよう。私のようなオジンが話しかけると、はあ、はあの一点ばりで。こういう美しいお嬢さんが相手なら、けっこう気をおつかいなさるくせに」

「どうも、すいません」

「また、あやまった」

「あやまってはいけないの？　おじさん」

「いけませんな。身におぼえもないのにペコペコするようでは、サラリーマンとして、出世できませんぞ」

「サラリーマンなんですか、こちら」

「ええ……まあ、そんなものです。製薬会社につとめてます。……こういう者です」

「日下《くさか》透《とおる》さん。研究員でいらっしゃるのね」

「はあ」

「……これは、申しおくれましたな。私も名刺を……といっても、会社はとうに定年でやめとりまして、肩書ぬきの名前だけ。どうぞ」

「佐々木《ささき》英造《えいぞう》……さん」

「よろしく。お嬢さんは」

「私は……ハイ」

「これはかわいい名刺ですな」

「小沢《おざわ》、シュウ……？」

「修身の修に、代々木《よよぎ》の代と書いて、ノブヨって読むんです」

「やはり、おつとめですかな」

「ええ、まあ。……おいしいですわね、このウイスキー」

「そりゃよかった。ゆうべ泊った弥田《やだ》市で、地ウイスキーを求めましてな」

「地ウイスキー？」

「さよう。日本酒に地酒があるように、洋酒にもあるんですな。サントリー、ニッカといった全国版以外に、各地で醸造しとるローカルウイスキーが。……ごらんになりますか、ほれ」

「まあ、なん本も」

「ミニボトルですが、あちこちで買い求めました。なんなら、ぞくぞく栓をぬいてさしあげますよ」

「はあ。……いや、ぼくはこれだけで」

「遠慮しなさんな。旅は道連れというじゃないですか」

「でも、もうボーッと顔が赤く……」

「かまわないわよ、日下さん。席はいくらでもあいてるんだもの。眠くなったら、横になればいいいいし」

「はあ、ですが」

「ですが、なんですかな」

「ぼく、酒のくせがよくないんです」

「というと、泣くとか暴れるとか」

「それに近いんですが……もうちょっと……その」

「おもしろーい」

「おもしろい？」

「こんなおすましの男性でも、アルコールがはいるとべそをかくのかしら。私、断然見てみたーい」

「いやはや。お嬢さんの方が、先に酔いなすったかな」

「あら私、ぜーんぜん酔ってませんよう。……ヒクッ。なんだか暑いわね」

「はあ……そうでしょうか」

「暖房のききすぎよ！　私、一枚ぬいじゃおっと」

「風邪をひかんようにな、お嬢さん」

「平気、平気。……ヒクッ」

「おつまみもありますぞ。ゆで豆にイカクン、ピーナッツ、柿の種」

「ゴーカね！　いたらきまーす」

「……ところで日下さん」

「は？」

「薬の研究というと、さぞお忙しいんでしょうな」

「ええ、まあね」

「新薬を発売するまでには、大変な金と手間がかかるとか」

「そりゃかかります」

「大企業の、ガッチリした組織でなくては、おいそれと画期的製品なぞ、出現せんのでしょうな」

「……でもないですよ」

「ほう？」

「……」

「すると、なんですか。個人的なひらめきで、すばらしい薬が生まれることもあると」

「種痘だってペニシリンだって、せんじつめれば個人の能力の結果でしょう」

「ふむ」

「ただ、現在のようにがんじがらめの管理機構の下では、生まれにくい——といえますね」

「ふむ、ふむ」

「かりに、そんな製品が突然変異みたいに誕生しても、上部にみとめられなければそれまでです」

「……どうも、日下さんご自身、経験がおありのようだ」

「ないといえば、うそになります。……いや、あります。大ありです。ぼくが開発したすばらしい新薬！　そのデータは、すべてこのカバンにはいってる」

「ほう！　その黒いカバンに……道理で日下さん、先ほどから肌身はなさずかかえていらっしゃいますな」

「……ヒクッ。ねえ、どんな薬なの。やっぱり、ガンに効くのかしら」

「いや、水虫です」

「水……きゃはは、やだあ」

「これはしたり、お嬢さん。生命にかかわるパーセンテージはひくくとも、水虫は人間の大敵です。カゼや水虫を根絶させる薬が発明されたら、ノーベル賞ものといわれとりますぞ」

「……だが、課長はぼくの製品をみとめようとしない。それで、データ一切をかかえて、本社の技術担当重役に、直訴することにしたんだ！

官学出だからって、エリートコースに安住してる、課長のハナをあかしてやる……畜生、いまに見てやがれ！」

「ほほう……なるほどアルコールが回ってきましたな。抑圧されたサラリーマンが、酒の力を借りて上役の悪口をいう。……いってみれば、ホンネ上戸《じょうご》というところですかな」

「もうひとつ、ホンネを吐いてやろうか。やい、おっさん！」

「えっ。な、なんです」

「あんたの正体は、わかってるんだ……ライバル会社の、回し者だろう」

「……」

「ざまあみやがれ、目を白黒してら。うちの研究室に、スパイがいることはわかってたんだ。佐原定子っていう口うるさい女だがね。むろんすぐクビになったけど、おれの新薬がよその社に知れてることは、覚悟してたさ。……おっさん、このカバンがほしいんだろう。そうは問屋がおろすもんか！」

2

「……おろすもんか！　ふわ……ふわああ」

「どうしたね、日下さん」

「くそ。さてはきさま、ウイスキーに、眠り薬を入れた……な」

「あははは。研究員にしては、あんた論理的とはいえんねえ」

「なんだと……」

「外はごらんの通り、雪また雪だ。いつつぎの井坂《いさか》駅へ着くかわからんのに、あんたを眠らせても仕方がない。肝心のカバンを持って逃げられんのだからな」

「ふわーあ……」

「あんたが眠いのは、酒のせいだよ。私だってばかじゃない。この急行『さがら』で会う前に、あんたのことは調べつくした。

出身地、本籍、住所、納税額。家族はないそうだね。ご両親は病死、妻子なし、兄弟もたったひとり、ひとつちがいの弟がいて、こちらは世帯もちだから、寄りついてもくれん。

食べものの好みはインスタントラーメン、特に日清がごひいきらしいな」

「……」

「酒を飲むとどうなるか。そこまでわかっているんだよ。

まず上役の悪口をいう。

ことばづかいが荒くなる。

見境いなくつっかかる。

だがそのあたりで眠くなる」

「……」

「聞いとるかね、日下さん」

「う……」

「眠いんだろ、わかっとります。かまわんからおやすみなさい。列車が動きだすまでは、あんたのカバンは安全なんだ」

「……」

「そうそう。目をつむったね、それでけっこう。……眠り上戸のそのあとは、さてどうなるのかねえ。眠ってしまえば、酒を飲むわけにもゆかんでな。

日下さん。

日下さん！

カバンを取らせてもらうよ……。

はは、こりゃほんものだ。調べたとおり、みごとな眠り上戸だねえ、あんた」

「ちょっとお」

「わっ、びっくりした……お嬢さんか」

「お嬢さんかも、ないもんだ。さっきから、ずーっとここにいるじゃない」

「これはどうも。あまり静かなので、てっきりおやすみだと……」

「どういたしまして。おじさんの話しっかり聞かせてもらったわ」

「油断もスキもありませんな」

「それ、こっちのセリフじゃない。こわい世の中ねえ、産業スパイさん」

「そ、そう、大きな声でいわんでくださいよ」

「いいじゃない。産業スパイだからスパイっていうのよ……ヒクッ」

「あんた、もし！　なにをはじめるんです！」

「見りゃわかるでしょ。暑いからぬぐのよう」

「ぬぐったって、そんな、下着姿になっちまって……おどろいたな。ストリップ上戸なんてのがあるとは、知らなんだ」

「ヒクッ。あってわりいか」

「とんでもない……けっこうな眺めですよ。わしだって、いっぱしのストリップファンですからな。日劇ミュージックホールがつぶれたのは残念でした……」

「ぐちゃぐちゃいってないで、さあ、おじさんもお飲みなさいよ」

「はい、はい」

「カラ返事ばっかかして……どこ見てるのよお、ドスケベ！　いつまでにらんだって、パンティのゴムは切れないわよ！」

「失礼。……では、まあ一杯」

「ね、おじさんあんなことといったけど、やっぱりカバン持ち逃げするつもりでしょう」

「え……しかし、ご承知のとおり、外は雪だから」

「井坂駅まで、遠くはないわ。レールぞいに道があるじゃん。歩いていっても、二十分か三十分よ」

「歩けますかな」

「なにいってんの。はじめから、そのつもりだったじゃない」

「……」

「列車が動かないかぎりとかなんとかいったの、日下さんを安心させるためでしょう」

「しかし、自動ドアがひらかんよ」

「そんなの、車掌さんにたのめばいいわ。父親の死に目に会えなくなるっていってごらん」

「なるほど」

「井坂駅なら、タクシーが常駐してるはずよ」

「……なるほど」

「なにをまぬけ面して、くりかえしているの」

「やっと、わかった。どうやらあんたも、ご同業だな」

「えへへ。実は、そうなの」

「で――？　自分から正体を見せたところは、わしと協定をむすぶつもりかな」

「……ま、そんなところね」

「だが資料はひと組しかない。わしと喧嘩《けんか》しようというのか」

「ううん」

「それとも、武器があるのか」

「まさか赤坂《あかさか》。ハードボイルドじゃあるまいし、そうカンタンにピストルやナイフが出てくるもんですか」

「では、どうする」

「お年寄りに敬意を表して、オリジナルの資料はさしあげるわ。私が持って帰るのは、コピーでいい」

「これはまた、遠慮ぶかいですな、お嬢さん」

「女性の美徳は、つつしみぶかさよ。そうときまったら、車掌さんに交渉してくるわ」

「そのかっこうでかね」

「これじゃ肉体交渉になっちゃうわ。ちゃんと服を着てゆくから……やだ。そんな名残り惜しそうな顔しないでよお」

3

「どっこいしょっと」

「よいしょ」

「日下はよく寝とったかね」

「いびきかいてたわ」

「ははは。研究員としては大したものかもしれんが、あれでは出世できっこないな……おっとっと」

「重そうね、そのカバン」

「まったく、重い……年寄りの腕にこたえるわい」

「見て、おじさん。雪を」

「雪？　列車に乗っとる間に、うんざりするほど見たじゃないかね」

「そうじゃなくてさ、足跡よ」

「ほう……わしの方が、ずっとふかいな。カバンの重いことが、よくわかる」

「……こうやって、列車に沿って歩いているうちは、明りがあったけど」

「うむ」

「ここから先は、まっくらね」

「雪明りがあるじゃないか」

「だけど、気味がわるい……やだな。この道、人間も車も通らないのかしら。まるでシーツを敷き詰めたみたいだわ」

「ゆうべのベッドを思い出しとるようだな」

「いやらしいこと、いわないでよ」

「見渡すかぎりの処女雪だ……雪が降りやんだばかりでは、当然だが」

「キュッ、キュッって、靴の底で音がするわ」

「ふまれた雪から、空気がぬけてゆくんだろうて」

「どこが道で、どこが畑だか、わかんない」

「用心して歩いてくれよ。凍った池なぞに、だまされんでおくれ」

「……なんか、静かだなあ」

「雪は、音を吸うでな」

「あ！　月が出た」

「少々赤茶けておるわい」

「半熟卵の黄身みたいね」

「ははは……若い娘さんは、食い気がはっとる」

「えへへ」

「あはは」

「……」

「……」

「なによう。どうしてだまっちゃったのよう」

「そういうあんたこそ」

「うん。なにかしゃべろう」

「しゃべろう。……いやはや、重い！」

「代ったげるよ、おじさん」

「うむ。この雪では、カバンをかかえて逃げることもできんな」

「だから安心して、私に渡すっていうのね。……うへっ」

「どうだ。重かろう」

「う、うん。私では、五分と持っていられないわ」

「それはわしもおなじだよ。……井坂駅まで徒歩二十五分として、五分ずつ交代しようか」

「それだと、おじさんの方がよけいに持つ勘定よ」

「オリジナルをくれるというのだから、その程度は辛抱せんけりゃな」

「了解。……じゃあ、あと四分ばかりで交代よ」

「わかっとるさ」

「……ね、いまの」

「ん？」

「なにか鳴いたわ」

「フクロウじゃろう。このへん、雑木林がつづいとるでな」

「気色わるいわ……出るんじゃないかしら」

「出るというと……お化けかね」

「私がそんなことといったら、おかしい？」

「おかしいとも。産業スパイをやろうという女性が、妖怪や幽霊を信じておってはいかんなあ」

「じゃ、ホントのことというわ。私がこわいのは、人間よ」

「人間」

「だって、そうでしょ。たとえコピーでも、同じデータがよその会社にもれてしまえば、新製品の魅力は大幅に減るわ」

「その通り」

「だから、私の要求をスンナリのんだおじさんは、ヘンだわ」

「というと」

「ここまでくれば、列車の明りも見えないし、まして井坂までは、まだ遠い……こんな人気《ひとけ》のない場所で殺して死体を埋めておけば……」

「当分みつかりは、せん」

「そういうこと。……きゃ、なによ、なに……その手は！」

「あははは、疑心暗鬼というやつだ。ニューと手をのばしたからといって、あんたの首をしめようとしたんじゃない。……これだ、このカバンだ」

「なんだ。カバンを持ってくれたのかあ、汗かいて、ソンしちゃった」

「五分きっかりで、交代したよ……今度はあんたが代る番だ。サバを読まんよう、時計をよく見てなさい。……しかし、こわいのは私だっておんなじだろう」

「おじさんが？」

「さよう。あんたのような若い人が、資料のコピーでいいと、殊勝なことをいった。マユツバにきまっとるじゃないか。どんな手を使っても、わしをだしぬこうとするにちがいない」

「そうか。おじさん、私にヤミ討ちされるのがこわいんだね。だからずっと、私の後ろを歩いているんだね」

「そう、そう。トシをとると用心ぶかくなる」

「だから私も前を歩きながら耳をすましているの」

「耳を？」

「雪をふむ足音が早くなったら、私にとびつく印だって。……カバンを雪に落とす音が聞えたら、両手で首をしめる前ぶれだって」

「近ごろは、若い女も用心がいい」

「そうよ。私は若いのよ……おじさん」

「なんだ。急にすりよってきて」

「そっちのあいてる手を貸してね。ハイ、これが私のボインよ」

「……うむ。あたたかい」

「ご感想は、それだけ？」

「ふっくらしとる」

「それだけ？」

「ムチムチプリン、という形容がぴったりかな。うちのばあさんとは比較にならん」

「おばあさんとくらべてもらっても、うれしくないわよ、……ね、抱きたくならないの？」

「抱く？　あんたを。ここでかね」

「こんな、雪の上で抱かれたら、体中シモヤケになっちゃうでしょ。むろん井坂でタクシー拾って、町へはいって、ホテルに着いてから」

「ホテルより、わしは温泉を好むがね」

「わ！　おじさんその気になってくれたのね！」

「待ちなさい、修代さん」

「なによお。急に他人行儀になることないでしょう」

「ギャラはなんだな」

「ギャラ？」

「わしに抱かれる、報酬だよ」

「……そのカバンを、私がいただくの」

「そんなことだと思った」

「へへ」

「あはは」

「……だめ？」

「きまっとるだろうが！　つまりあんたは、わしを色じかけでたらしこもうとしとるのか」

「ミもフタもないいい方するのね。でも、手っ取り早くていいわ。そうよ」

「あいにくだが、わしは年寄りだ……あんたのご期待に添えん」

「あら。ソーローの若い人より、テクニックでまさるんじゃなくて」

「熟年を買いかぶっちゃいかんなあ。はっきりいって、わしはインポだ」

「立たないってこと」

「さよう、立たない」

「うそ」

「うそなもんか」

「うそ、うそ。さっき、列車の中でぬいだとき、バッチリ見ちゃった。おじさんのズボン、チャックがいまにもはじけるかと思ったわ」

「……そんなことをためすために、ぬいだのかね」

「それだけじゃないけど。ねえ、おじさん。いいでしょう」

「これ、よしなさい」

「やーン」

「よさんか！」

「その声、セクシーよ」

「ムムム」

「むにゅう」

「……ふーっ。わしを窒息させるつもりか！」

「ああ、熱い舌だった。私、おじさんの情熱でやけどしそう」

「くだらん。冗談はよせ！」

「あらつめたい。おじさんの背中が、コンクリートの塀みたいに見えるわ」

「コンクリートでもプラスチックでもかまわんが、わしも佐々木英造だ。あんたレベルの誘惑には負けけん」

「ご挨拶ねえ」

「ほれ五分たった。交代だ」

「はいはいと。うー、骨にこたえるな……あらっ」

「なんだね」

「おじさん、カバン忘れてきたでしょう。列車の中に」

「忘れたんじゃない……わざとだ」

「目をさました日下に、すぐにはおじさんが下りたと思わせないため？」

「そうだ」

「さっすが。プロねえ」

「というあんたも、ボストンを網棚へのこしてきた。……おなじねらいだろうが」

「なんでもお見通しなんだから！　……だけど、私のボストンはカラ同然よ。おじさんのカバンには、ウイスキーのミニボトルが、はいっていた。もったいない」

「もったいなくても、あれは飲めん」

「なんだ、カラッポ？」

「そうじゃない……睡眠剤やら、毒やら、それぞれのボトルにはいっとる。時と場合に応じて、使いわけられるようにな」

「ひゃあ、やっぱしおじさん、かなり荒っぽい仕事もするんだ」

「したくないが、やらねばならんこともある……はてな」

「どうしたの」

「いや、なんでもない」

「足がふらついているみたい。気をつけてよ……川の音が聞えるわ。落ちたら絶対心臓がストップしちゃう」

「大丈夫……だ」

「……ねえ」

「え？」

「ぼつぼつ時間だけど」

「うん。カバンか」

「もう少し、私ががんばろうか。おじさんおかしいわよ、いまごろアルコールが回ってきたのかな」

「ばかな。わしが持つ」

「いいの」

「貸せ！」

「だまってると、おじさん歩きながら寝ちゃいそうね」

「心配してくれんでも、しゃべるさ。……そういうあんたは、どうかね」

「私なら、眠くないわよ」

「いや、殺したことがあるんだろう。かくさなくてもいいよ」

「残念だけど、まだひとりも」

「ほう。手は汚しておらんのか」

「いずれ近いうちに、ひとり始末するつもりだけど」

「ふむ。……どんな相手が、いけにえになるのかな」

「そうね。おじさんにだけは、内緒で教えるわ。……これがやっぱし、ご同業」

「おやおや」

「年のころ五十五、六……サラリーマンを定年退職して、この道にはいったというから、六十くらいかな」

「……」

「もうおじいさんでしょう。本人にいわせると女も抱けないって。だから、殺すの気の毒だなあって思ってたけど、よく聞いたら、ご本人だってけっこう殺してんのよ。だったら殺されたって、仕方ないわよねえ」

「き……きさま……」

「おっとと。大事なカバンを落としちゃって。だめねえ」

「う……くそっ……飲ませたな」

「もちろん。さもなかったら、いまごろ眠くなるの、おかしいでしょ」

「いつ……わしは、自分の……ウイスキーしか飲んでいない……のに」

「えへへ。おじさん、私のストリップに興奮しちゃってさ。目を皿みたいにして、私のあそこ見てたんだよね。そのスキに、紙コップとりかえたの」

「あ……あのとき！」

「ごく弱い睡眠薬だから、効くか効かないか心配だった。でもって、色じかけしてみたんだけど、よかったわ……効いてきて！」

「うふう……」

「あはっ、手すりにもたれちゃった。……まだふしぎじゃない？　なぜもっと早く、列車の中で眠らせなかったか……疑問がわくと思うんだ」

「……」

「完全におやすみだわ。ま、いいや。教えたげる。カンタンなことよ。私ひとりでは、カバンを井坂駅まで運べないから。つまりおじさんは、赤帽役」

「……」

「予定が少しくるったけど、でもここからなら、ひとりだってがんばれる。それに下が川なんだから、殺すにはおあつらえむきといえるしねえ。どっこいしょ」

「ぐう……」

「かわゆいいびきね。どうぞおじさん、いつまでもゆっくり、眠って頂戴。……くそ重いおっさんだなあ……よっこらしょっと！」

4

「あは、あっさり見えなくなっちゃった。ナマイダブ、ナマイダブ。……では、出発といたしましょうか。井坂駅まであと七分、休み休み行けば、ひとりで十分……」

「ふたりだよ」

「きゃっ。だ、だれ！」

「おれ」

「あ……あなた……日下さん」

「いやあ、苦労したな。いくら雪が音を消してくれるからって、林をぬって追いかけるのは。……どうしたんだい、その顔は」

「そんなことって……あなた、よく眠ってたわ！」

「狸寝入《たぬきね い》りだよ。ははは、そうか。きみも日下透については調査ずみだな。アルコールがはいると、熟睡して、雷が鳴っても起きないという……。

あいにくだな。

おれは日下透じゃない、日下明《あきら》という男だ」

「日下明……弟の方ね！」

「よく出来ました。おれは兄貴とちがって、酒に強い。あれしきの酔いで、前後不覚になるもんか」

「狙われてると知って……身代りをたてていたのね。畜生！」

「おれ、やだな。女の子はもっと品のいいことばを使うべきだよ。あらあら、死に物ぐるいで逃げてゆく」

「はあッ、はあッ、はあッ」

「それもカバンを持ったまま……プロ根性はみとめるけど」

「はあッ、はあッ、はあッ」

「ムダだと思うがなあ……おうい！　聞えるかあ！」

「はあッ、はあッ、はあッ」

「そのカバンの中のデータも、ニセモノなんだぞう!」

「はあッ、はあ……ええっ」

「あっ、あぶない!」

「きゃーっ」

「待て!　いま、行くから!」

「がぼがぼ……ひーっ」

「凍った池の上を、走ったんだ……カバンが重いんで、氷が割れたんだ!　ほら、この棒につかまれ!」

「たすけ……あうッ」

「おい、どうした!」

「……」

「小沢さん!　修代さん!」

「……」

「……気の毒に。心臓麻痺《まひ》で沈んじまったか。

　ととと、こうなると、おれもうろうろしていられんな。

　彼女が死んだのはおれのせいじゃないが、あのおっさんが殺されるのを、知らん顔でいたことはたしかだ。

だいたいこんな芝居を考えたのも、佐原って女が、どの社に通じていたか、そいつをつきとめるのが、目的だったんだからなあ……。

マスコミにもれれば、またなんだかんだと痛くもない腹をさぐられる。

ここはひとつ、静かに消えるか。修代さんよ、抱けなかったのは残念だが、あんたのボディラインは、たっぷり拝ませてもらったぜ。

安らかに成仏してくれや。

ハクショーイ。

うう、死ぬとこ見たせいか、おなかの底からひえてきた。

こんなときのために、おっさんのカバンから、ミニボトルを失敬してきたんだよ。

では、おふたりの冥福を祈って……

クイッ。

うー、あったまるなあ。

もう一口。

うめえ……。

どこの地ウイスキーか知らんが、いいブレンドだ！」

5

翌朝。

現場にかけつけた井坂署の刑事たちは、一度に三つの死体をかかえこんで、自殺か他殺か過失死か、頭をなやますばかりであった。

第五話　故阿部ベア子

1

阿部美亜子《あべみあこ》と、彼女の名前を正確に呼んでくれる同僚は、だれもいなかった。

「おい、ベア子」

「ねえ、ベア子さん」

同僚だけではない。上司も、新人も、甚だしい場合は研究室に出入りする出前持ちまで、彼女をそう呼んだ。

その度に、ベア子は豪快に返事する。

「あいよ！」

「なんだ！」

「おう、呼んだか？」

――そして、だれも気づいてくれやしない。ベア子ベア子といわれる毎《ごと》に、彼女の繊細な神経がはげしく傷ついていることに。

彼女が勤めているのは、ある製薬会社の研究室だった。

決してお茶汲《く》みや、下働きのために採用されたのではない。一流大学の薬学部を、トップクラスで卒業したベア子である。それ相応の仕事を期待されたし、事実その期待にふさわしい業績を挙げもした。

にもかかわらず、彼女は常に三枚目であった。

理由は、明瞭だ……ベア子が転がった方が早いような体型の持主であり、しかも容貌ははっきりいってブスだったこと、それに尽きる。

女であることのメリット、デメリットはいろいろあろうが、なんといっても、その最たるものは、美人か不美人かで一生の運命が決まりかねない点であろう。

ベア子が男であったら、たとえいまの三倍どブスであっても、引け目を感ずることはなかったはずだ。給料に見合う仕事を、楽々とこなしているのだから。

悲しいことに、ベア子は女であった。

はじめはむろん、自分の仇名《あだな》に気づいてもいなかった。

同輩の日下透という男が、酒の席で面と向かっていってしまったのだ。

「よぉ、ベア子」

居合わせた会社仲間は、あわてたそうだ。

だいたい日下は、酒くせが良くないことで定評がある。

もっとも、いわれたベア子はすぐにはピンとこなかった。

「ベア子？　それ私のこと？」

「そうだ。見回してみろ、あんたのほかに女がいるか！」

「そういやあそうだね。ははは……私が女だとすればだけどさ」

顔と体に似合わず、ベア子の声は透き通るように美しい。徹底した声美人であった。

もうひとつ救われるのは、彼女がなかなかのリアリストで、自分のブスぶりを十分認識していることだった。

研究室でも、彼女は平気で自分自身を肴《さかな》にした。

「おーい、そこの劇薬の棚、おさえていてよ……私が通って瓶が落ちても知らないからね！」

といった調子だ。

それだけに、つい日下も図に乗ったのだろう。

「女だよ。あぁ、立派な女じゃないか。おれはまだ、あんたが紳士用のトイレに入るのを見たことがない」

「認めてくれてありがとさん。だけどその、ベア子ってなに」

「それはその、あんたがさ……年末の闘争で奮戦してくれたからだよ」

気の弱い男のひとりが、ごまかそうとした。

「闘争がなんだってベア子なの？」

「だから、ベースアップに貢献してくれたじゃないか」

「あぁ、だからベア子か。あははは」

納得したベア子は、胸より前に突き出したおなかをゆすった。

だが、酔った日下はそんなことではひっこまなかった。

「馬鹿、馬鹿。そうじゃないだろが！　冬のうち彼女の着ていた黒のコート、あの姿が黒熊にそっくりというんで、人呼んでベア子になったんだぞ！」

一瞬みんな黙りこくった。

たしかに彼女の体つきは、人間離れしている。スキーにも行かないのに顔が黒い。短い足を開いて、全身をゆさゆさ揺すって歩くさまは、冬眠から覚めた熊そっくりであったが——そこはインテリの集まりだから、正面きって彼女をベア子と呼んだものはいなかった……。

日下は研究員の中でも筆頭に挙げられる遣手《やりて》だったが、それだけにひとりよがりな欠点を持っていた。おまけに定評のある酒乱なのだ。

座を支配した沈黙を笑い声で破ったのは、当のベア子だった。

「あははは、これはいいや。私ってとりたての熊だもんね。美亜子なんて名前よか、よっぽど私をいいあててるよ！」

自分の悪口を笑い飛ばすバイタリティ。そこが彼女の良いところだ……みんな、ほっとした。

だからだれひとりベア子が、その夜ゆきつけの一杯飲み屋で、升酒をあおって泣いていた事実を知らない。

……酔ったベア子が我に返ったときは、もう自分のアパートで布団の中に入っていた。

（だれか、連れてきてくれたのかしらん）

もうろうとした頭を振ったが、思い出せない。なんだかカウンターの隣にいた若者と、意気投合したような覚えはあるのだが……。

そして若者と連れ立って、けばけばしいネオンの点ったホテルへ行ったような記憶があるのだが……。

下半身に奇妙にしこるような感覚がのこっていた。

そうか……ゆうべ私は、娘から女への門をくぐったのか。

（はっ、私が女ならね！）

ベア子は顔をゆがめた。

ありがたいと思わなくてはなるまい……それこそあの若者は私を明らかに女として遇してくれたんだもの。

だが、処女を捧《ささ》げた相手の顔すら覚えていないというのは、なんともわびしい気分ではあった。

「いいさ、いいさ」

と、彼女は口に出してつぶやいた。

「あの人が、日下さんだったと思うことにしましょ」

――そう、彼女のぶあつい胸の内に秘めた、恋する男。その名前は、日下透だったのである。

2

「ベア子。ちょっと」

室長が声をひそめて呼んだ。

なんだろう……実験に余念のなかった、白衣のベア子は不思議そうに室長を見た。

「来てくれ」

手招きされて、室長のへやへ入る。清潔きわまりない室内だが、ベア子にはなんだか物足りない。その理由は、研究室に充満していた薬臭さが、拭われたようになくなるからだった。

室長は、ベア子や日下と違って薬学部出身ではない。薬についての知識は、どうかしたらそのへんの大学生にも劣るが、金銭感覚と人間管理については抜群だった。

その腕を見込まれて、本社から出向してきたのだが、正直いってつきあいやすい上役とはいえない。研究員より本社の方へ顔を向けて、予算のしめつけに専らだったからだ。

ことに日下のように職人肌の男とは、ウマが合わなかった。

「なんでしょう」

催促すると、果たして問題は日下のことだった。

「奴《やっこ》さん、どうもよそへ引き抜かれるらしい」

「まさか!」

思わず声が大きくなった。

「そんなことって……もし、それが事実だとしたら、大変じゃありませんか」

「落ち着いて」

室長は、手を顔の前でひらひらさせた。そういう室長の顔こそひきつっている。日下は研究室の核をなす逸材なのだ。

その優秀な人材が他社へ流出するということは、室長の大きな失点となる。いや、失点くらいですめばいいが、現に日下は、いくつかの重要なプロジェクトを推進させつつあった。

「もしかれが移ることによって、それらの研究の成果をよそへ根こそぎ持ってゆかれたら、我が社は深手を負う……どうあっても、かれの引き抜きを防がねばならん」

「わかります」

ベア子も真剣な顔になって、うなずいた。

彼女にしてみれば、日下はいまでも心に秘めた神聖な恋人である。どういうものか、日下は三十の半ばを過ぎても独身で、都心のビジネスマンションに暮らしている。独居生活を送るかれの存在が、ベア子にとっては唯一のなぐさめだった。

(かれがひとりでいる内は、私だって可能性がまったくゼロじゃないんだわ)

——その恋人が、引き抜かれて会社を辞める！

大袈裟《おおげさ》にいえば、ベア子は生きる望みを失ってしまう。日下が皮肉な笑みを浮べて、すぐ傍《そば》にいる。そう思えばこそ、ベア子呼ばわりされても、笑って会社勤めが出来たのに。

「すまんが、今夜、日下くんと食事でもして、それとなくかれの腹を探ってくれんかね」

「はい。やってみます」

一も二もなく、ベア子は引き受けた。

彼女の誘いを日下は渋っていたが、いつにない強引なベア子の態度に、とうとうひっぱり出されてしまった。

むつかしい話だけに、気心の知れた店でしゃべりたい。

彼女は顔馴染《かおなじ》みの飲み屋へ、日下を連れていった。――いつか日下にベア子呼ばわりされて、泣いて酒をくらったあの店だ。

「わかってるよ、あんたのいいたいことは」

顔をしかめながら、日下は何本目かの徳利《とっくり》を空にした。酒好きのくせにあまり強くない。もうそろそろ目がすわっていた。

「あんた、おれが好きなんだろ……おれに抱かれたいんだろ」

「日下さん」

さすがにベア子も青くなった。酔うと放言するのがかれの癖だが、まさかこんなことを言い出そうとは……。

日下はぬめっとした唇を舌でしめした。

「悪いがお断りだね。おれはあんたを、研究者としては認めるが、愛情の対象として認めない。ああ、全然まったく認めないね」

「……」

なにかいおう、笑ってごまかそう。気ばかり焦ったが、顔の筋肉がいうことを聞いてくれない。

「あんた、今日室長に呼ばれたんだって。それなら聞かされたんじゃないか……おれが会社を移ること」

「え……えぇ」

がくがくと首を振った。たるんだ顎の肉がプリンのように震えた。

その様子を冷笑しながら見た日下は、残酷にとどめを刺した。

「おれがあの研究室を辞める、本当の理由をいってやろうか……それは、あんたがいるからだよ」

「は……はは」

かすれ声で、ベア子は笑った。

「きついことというのねぇ」

酒を飲むふりをして、そっと涙をふり払った。日下の答えはない。

どうしたのかと思って、目の端で様子を窺《うかが》うと——かれは、満面に笑みを湛《たた》えて、新来の客に手を上げていた。

「やあ、矢内《やない》くん。きみもここへ来るのか」

矢内と呼ばれたのは、まだ若い、坊やのような顔立ちをした青年だ。日下の大声が照れ臭かったのか、ちょっと顔を赤らめながら近付いてきた。その姿に、ベア子は見覚えがあるような気がしたが、思い出せなかった。

矢内青年は、ベア子をのぞきこむようにして、

「こちらは」

と、尋ねた。

「会社の仲間でね。阿部さん、通称ベア子。……ベア子、かれの家は電気屋でね、ちょいちょい面倒を見てもらっている」

「あぁ」

ベア子はうなずいた。

「あなたが重宝がっていた人ね。掃除機を買ってくれたらそれで掃除させられたり、洗濯機を買ってくれたら見本に洗濯やらされたり……」

いつか自慢げに日下が話したことがある。研究はまめな日下だが、生活の智恵《ちえ》となると皆目で、アイロンをかけっぱなしにしてもう少しで火事を出しそうになったという。

「だったら、いってくれれば私が手伝いに行くのに」

ベア子が売り込むと、日下はあっさり首を振ったものだ。

「間に合ってる」

――その電気屋の青年がかれであるらしい。

「はぁ、日下さんにはお世話になっています」

「嘘《うそ》つけ。お前さんとこはうちのマンションが上得意だから、多少無理をいう客がいて

も、仰せご尤《もっと》もというほかないんだろう」

「わかってるんなら、いいじゃないですか」

日下の毒舌には慣れっこらしい。苦笑した矢内は、愛想よくベア子にむかって徳利を差し出した。

「どうぞ、おひとつ」

3

ベア子のたっぷりした体に、酒もたっぷり回ったが、彼女の頭は氷のように冷えていた。

（愛情の対象として、全然認めない）

（認めない）

（認めない！）

日下の声が遠雷みたいに、いつまでもいつまでも轟《とどろ》いていた。

（殺してやる）

そう彼女が思いついたのは——結果としてやはり酔っていたからであろうか。

ベア子以上に、日下はしたたか酔った。

「室長にいっとけ！　おれは自分の研究をよそへ持ち出すほどセコくない。よそへ行けば行ったで、まるっきり新しいテーマに取り組んでみるさ」

そんなことを呂律《ろれつ》の回らない舌でいっていたと思うと、カウンターに突っ伏して、ぐうぐう眠ってしまった。日下は、一定以上の酒を浴びると、とたんに眠り上戸に変身するのである。

「いいです、いいです。ぼく、マンションへ運びますから」

電気屋というより、便利屋だが、矢内はいやな顔も見せず、日下を運んでいった。急な修理をマンションの集中管理室から頼まれたそうで、ついでだという。

ふたりが去ったあとも、しばらくベア子は飲みつづけていた。

頭の中の氷は次第に温度を低め、ついにはドライアイスほども堅く、冷気のきびしい殺意と化した。

ゆらり……と、ベア子は立ち上がった。

日下の部屋には一度だけ行ったことがある。

もう時間はかなり遅かった。初夏の、肌に快い季節であったが、マンションへ着くまで、ベア子の頭部を占めている殺意の氷塊は溶ける気配も見せていなかった。

ビジネスマンションは、巨大な建造物だった。もともとこの場所には工場が建っていたのを、都心再開発の波に乗って敷地全部をマンションに転用したのだ。

玄関はこうこうと明りが点っていた。

管理室のカウンターが長く伸びているが、その奥に人影はない。……多分ガードマンは、矢内といっしょに集中管理室にはいっているのだろう。

エレベーターに乗って、八階へあがる。

ホールをはさんでエレベーターが二台ずつ、合わせて四台設けてある。

そのホールの天井から、監視用のテレビカメラが下がっていた。モニターは、管理室に並んでいる。各階ごと、エレベーターホールと階段室にカメラが取り付けてあって、ガードマンはロビーフロアにいながら、怪しい者をチェック出来る。……こんな設備でも施しておかないと、夜間の人件費がべらぼうにかさんでしまうのだ。

たしか矢内が修理に来たのは、監視用のモニターだといっていた。

あわよくば画面が故障中で、彼女の姿を管理室にいるはずの矢内やガードマンから、遮蔽《しゃへい》してくれるかもしれない。

あるいは修理はとっくに終わっていて、ふたり揃って彼女の侵入を、ばっちり目撃するのかもしれない。

（どっちだっていい……）

ベア子はひどく投げやりな気持だった。

殺人を立証されて逮捕されるなら、それも運命だろう。

万一発見されずにすむのなら……そのときは、神さまも少しは公平な精神をお持ちなんだわ。かわいそうなブスを哀れんで、ちょっぴり幸運を分けてくれたと思うことにしよう……。

ドアを開けるのは簡単だった。

さっき矢内が日下を担ぎ上げたとき、ポケットから滑り落ちた鍵を拾っておいたのだ。当然矢内は日下を部屋に入れるとき困ったろうが、ガードマンに頼めばマスターキイが用意してあるはずだ。

はいるなり、ごうごうと傍若無人ないびきが、ベッドから聞えた。

ベア子は、わざとどすどす足音を立てて、ベッドに近づいた。

その音で、日下が目をさますなら——。

いま彼女の心をむしばんでいる殺意はおそらく消えるだろう。

日下の金茶色の瞳にみつめられると、女傑ベア子は、手も足も出なくなってしまうのだ。

(起きるなら、起きて)

異様に錯綜《さくそう》した心理で、彼女は心中に祈った。

その祈りに答える声は、

「ぐう……」

いとも安らかな、日下のいびきであった。

ベア子は、バッグの中から小さな薬瓶を取り出した。研究室にころがっている毒性の強い薬だ。保管には細心の注意がはらわれているが、ベテラン研究員であるベア子や日下たちは、フリーパスだ。

小さな黒いカプセルを、ベア子はふとい指でつまんだ。

つくづくと、見る。

こんな小さな粒が、人ひとりの命を奪ってしまうなんて……。

彼女は、患者を診る医師のように、細心の手つきで恋人の唇をあけた。

眠っている日下は、おそろしく素直だった。

あいた唇に、指を突っこむ。

歯と歯を、ほんの少しだけひらかせる。

ヘビースモーカーの日下だから、歯が黄ばんでいる。上下の前歯にはさまれた形のベア子の指が、かすかに痛んだ。

あなたの嚙《か》んだ小指が痛い……。

ベア子がまだ子どもだったころ、流行した歌の一節が思い出された。

指に沿って、カプセルを落としこむ。

ごくり、とのどが動いた。

小さいので水をそそぐ必要さえなかった。

作業はきわめてスムーズ、且つ短時間のうちに終了した。

そっと指をぬくと、日下はむにゃむにゃと口を動かし、ひとつしゃっくりをしてから寝返りを打った。

……よくもって、あと三分の命だろう。

カプセルが溶ければ、中の成分が作用して瞬時に血管を収縮させる。脳へ流れこむ血流が遮断され、日下はなんら苦しむことなしに、ひと夜の眠りから永遠の眠りへと移行する。

ベア子は、ドアの外へゆらぎ出た。

前にも後ろにも、長い廊下がのびているが、人の気配はまったくない。

「8」と大書されたホールで、エレベーターを待つ間も、だれにも会うことはなかった。

ただ、天井から懸垂しているテレビカメラが、不気味にレンズを光らせているばかりであった。

彼女は、咎《とが》められもせず、マンションをあとにした。

アパートに帰り、息をひそめて電話のベルを待った。

……その夜はとうとう、電話はウンともスンともいわなかった。

神さまが、お目こぼしして下すったのだと、ベア子は信じ、眠ることにした。

ふしぎに夢の中には、日下の死顔はあらわれなかった。

ただ、あの声だけが闇の底からひびくばかりだ。

「愛情の対象として認めない」

声だけの夢があるとは、ベア子も知らなかった。

あくる朝。

4

強烈なベルの音が、ベア子を容赦なく突き刺した。

はね起きたベア子は、しばらくの間幽霊でも見るような目で、電話機を見つめていた。いつの間にか、息がはずんでいたような気がする。

（……警察だろうか）

ゆうべの彼女の行動は、やはりテレビカメラにとらえられていたのだ。

エレベーターホールを右折して、日下の部屋に向かう姿が。

顔をカメラに向けなかったといっても、ベア子の特異な体型がガードマンの目を奪ったはずである。

ベルは鳴りつづけた。

えい、くそ！

なるようにしかなりゃしないわ。

断乎《だんこ》として、ベア子は受話器をつかんだ。その中から流れ出したのは、興奮しきった室長の声である。

「……ベア子か！　大変だ、日下くんが自殺した！」

「え……えっ」

ベア子は驚いた。演技ではない、ほんものの仰天だ。

「そんな……なぜ、日下さんが、自殺なんかするんです」

「それを、きみに聞きたい」

室長の声がふるえている。

「きみのことだ、よほど強く迫ったんだろう……裏切りとかスパイとか、ラジカルな発言をしたんじゃないのかね。え？」

「……私が、日下さんを怒鳴りつけたとおっしゃるんですか」

呆気にとられてから、ベア子は思い出した。

ベースアップを主張する組合代議員ベア子の矢面に立って、冷汗をかかされたのがいまの室長だ。

そのときの迫力を、日下相手に再現したものと、室長が思いこんだのも無理はない。

「いったいあいつ、きみになんと弁解したんだね」

「弁解って……」

口ごもったベア子は、思いついたでたらめを室長に話した。

「たしかに、引き抜きの交渉を受けたそうですわ。先方に義理があってことわりにくいし、といってうちの研究もつづけたいし……日下さん、ノイローゼ気味でした」

「やはりそうか……あれで意外に神経がほそかったんだな」

わかったような感想をもらして、室長がため息をついた。

「板ばさみになっていたところへ、きみにドカンとやられた。それが引き金になって、奴は死を選んだのか」

「いったい、日下さんはどうやって死んだんです」

「薬だよ」

室長は、重々しく答えた。

「その気になれば、苦痛なしに死ねる薬がある……よそには出ていないから、かれが自分で飲んだとしか思えないんだ」

「でも……」

さすがにベア子は、のどが詰まりそうになった。

「いくらそういう特殊な薬でも、自殺と断定出来るんですか」

「どういうことだい」

室長は不審そうだ。

「だって、だれかほかの人間が、日下さんのへやへ忍びこんだ可能性だって、あるでしょう」

ほかの人間という代りに、「私」といいたくなる気持を、ベア子は必死におさえこんだ。

だが、室長の答えはひどく意外なものだった——。

「そんな可能性は、ないね」

「えっ……なぜですか」

「かれが住んでいるのはね。グレードの高いビジネスマンションだよ」

室長は、子どもをさとすように説明した。

「エレベーターホールにも、階段の踊り場にも、監視用のテレビカメラが設置してあるんだ」

「……」

「きみも知ってるそうだが、ゆうべ日下くんは、矢内という男にへやへ担がれて入ったそうだ。あいにく鍵がみつからないので、ガードマン立ち会いの上で、マスターキイで、ドアをあけた」

「……」

「そして、日下くんをベッドで眠らせた。……それからしばらくして、矢内がかれのへやに手帳を忘れたことを思い出して、ふたたびガードマンのひとりに連れて行ってもらった」

「……」

「そして、日下くんが絶命しているのを発見した。この間、ふたりいるガードマンのどちらか、あるいは矢内青年が、常に八階をモニターしていた」

「……それで？」

いつもは愛くるしいベア子の声が、老婆みたいにかすれている。

「猫の子一匹、日下くんのへやに通ずる廊下を歩いた者はいなかった」

「……！」

信じられなかった。

ベア子は、まだ夢のつづきを見ているようだ。

猫の子一匹通らない？

冗談ではない……現に私が、黒熊一頭が往復しているというのに！

5

「もしもし」

「はい……だれ？」

「もしもし。阿部さんですね。ぼくゆうべお会いした矢内といいます」

「あなたなの！」

受話器を持つベア子の手が、ちょっとふるえた。

室長からの電話が一段落して、ともあれ研究室へかけつけようと、支度をしている最中に、二度目のベルが鳴ったのだ。

「ゆうべは、あの……ご苦労さま。日下さんが死んでいるのを、あなたみつけたんですってね」

「はい」

なぜか、矢内の声はこわばっていた。

「日下さんを運んでから、ずっと修理してたんでしょ」

「はい……モニターのひとつに、ノイズがはいるもんですから」

「そう」

相槌《あいづち》をうったものの、ベア子は内心首をかしげた。

なぜかれが、私のところへ電話を——？

ベア子の気持におかまいなく、矢内はおずおずした口調で話をすすめた。

「……修理してる間も、見えなくちゃ困るとおっしゃるので、代りのテレビを持っていって、しばらくつないでおきました。……ご存じですか、新製品の逆転テレビ」

いったいこの男、なにをいいだすつもりなんだろう。

ベア子は、ぼんやりそんなことを考えながら、受話器をつかんでいた。

「……ニックネームが、『どんでんがえし』というんです。ワンタッチで、左右あべこべにすることが出来ます」

そういえば、広告を見たおぼえがある……美容院や床屋で、便利に使えるそうな。客が鏡に映ったテレビを見る。左右あべこべのテレビなら、鏡ごしに見ればちょうど正像になるからだ。

「野球中継でサウスポーを右利きの投手として見たり、文字を裏返しにして鏡の国の気分を味わったり出来るんです。……ところで、日下さんのへやは、八階でしたね」

「それが……どうしたっていうの」

「数字の8は、あべこべになっても8。……つまり、八階のエレベーターホールを映した画面は、左右を逆転させてもまったく不自然さがありません」

「……あ」

ベア子の口から、小さな声が洩れた。

「ぼくはゆうべ、あの店にはいろうとして、あなたと日下さんの話を聞いてしまいました……ひどいことをいいましたね、日下さんは……」

「あなたは、私が……」

ベア子は、死に物狂いで声を押し出した。自分の声が、自分のものじゃないみたいだった。

「日下さんを殺すかもしれない……そう思ったのね」

「はい」

と、矢内が行儀よく返事する。

「ぼくがもしあなたなら、殺すだろうと考えました……そしたらあなたは、マンションの玄関にあらわれた……そのとき気がついたのは、ぼくだけでした。とっさにぼくは、『どんでんがえし』のスイッチを入れました」

エレベーターは八階にのぼって、ベア子を吐き出す。

「ぼくは、ガードマンたちの注意を、八階ホールへひきつけました。あなたがエレベーターを下り、左へ曲るところを印象づけるために」

実際にベア子は、右へ曲って日下のへやへはいった。

だが、ガードマンたちは、彼女が左へ折れたとしか見えなかったのだ。

「……あなたが帰ったあと、ぼくは口実を設けて八階へ行き、死体をみつけました。……だから阿部さん、ご心配いりません。あなたはゆうべ、日下さんのへやへ行ってはいないんです。それだけお話ししておきたくて」

のどにからんだ痰《たん》を切って、ベア子は、やっとの思いでいった。

「どうして？　どうして、私をかばって下すったの」

「あなたが好きだから」

ベア子は、もう少しで受話器を取り落とすところだった。

「そんな……冗談……」

「好きです。美亜子さん」

矢内のことばは、折り目正しかった。

「だってあなたは、ぼくをはじめて……その……男にしてくれました」

ぎょっとした——かれを見た記憶があるのも道理、あの夜共にホテルの門をくぐった相手であった！

「ぼくは、日下さんがきらいです。あの人は、ぼくにプロポーズしました」

なんだって？

「愛情の対象が男性なんです」

「！」

「……だから美亜子さん。かれがあなたを『愛情の対象にならない』といったのは当然なんです」

「！」

「あなただけじゃない。日下さんにとっては、世界中の女性が愛の対象として、不適格だったのですから」

「……」

気がつくと、いつか矢内の電話は切れていた。

化粧半ばだった顔を、ベア子は鏡に映してみた。みるみる内に顔がゆがんだ。

「あははは！　あははは……」

笑っては泣き、泣いては笑った。

こんな……こんなことって、あるかしら。

私は、世にも馬鹿げた誤解の末、最愛の男を殺してしまった！

日下が同性愛者なら、一生結婚する心配はない……心に秘めた恋人として、ベア子はかれに、愛を捧げつづけることが出来たのだ。

泣き笑いに疲れたベア子は、やがて、手にあの薬を——黒い小さなカプセルをつかんだ。

あべこべのテレビ、あべこべの愛、世の中みんなあべこべばかり。

カプセルをひと思いに飲みほしながら、ベア子は、頭の片隅で考えた――。

（私が死んだら、『故阿部ベア子』……いやあだ、あべこべにしても『コアベベアコ』だわ！）

第六話　うえっ！　ディング・マーチ

第一章　愛と追撃の日々

1

——一瞬、店内がシンとした。

と思うと、おなじみのギャル用語、

「ウッソォー！」

の大合唱だ。

「アコが結婚？」

「それもお見合？」

「相手の男の、顔が見たーい」

女ばかりいるから女子大の同窓会かと思えば、六本木のカフェバーだ。アーリーアメリカンを少々埃っぽく崩した内装が、ジョン・ウェインやヘンリー・フォンダ在りしころの西部劇を思わせる。と解説したところで、常連の女の子たちは、クリント・イーストウッドくらいは知っていても、フォンダとなると、

「ああ、死ぬ間際にアカデミー賞もらったおじいさんね」

程度の知識しか持ち合せがないだろう。

だいたいこの『アルカード』には、そんな男くさい男は来やしない。女くさい女なら、掃いて捨てるほど集まるが。

中でもアコは、『アルカード』の女帝といってよかった。ちなみにアルカードというのは、ドラキュラ伯爵の別名である。

早い話が、アコは女吸血鬼みたいなものだ……ただし、血は男のそれにかぎるらしい。月光仮面ではないが、アコはいつも風のようにあらわれ、風のように消えた。自由気《き》儘《まま》なその遊民ぶりは、六本木人種の中でもとりわけ目立つ存在だった。

あるときはぶりっ子で、あるときはサイケで、あるときはアーミールックで、あるときはキモノスタイルで、七つの顔よろしく男たちを幻惑した。

これはと思う男にぶつかると、わき目もふらず突進した。たとえかれが五人の子もち

だろうと、イギリス貴族の御曹子だろうと。いつぞやは、『アルカード』の照明設備を修理に来ていた、矢内という電気屋の若者をひと目見て、たちまちのぼせあがったほどだ。

はじめは辟易《へきえき》していた男の方が、やがて彼女に夢中になる。それを待っていたように、アコは男を袖にする。

そのころにはもう、次の恋人が出来ているからだ。

それでいて、ふしぎにあとくされがないのは、彼女の人徳というべきだろうか。

そんなアコが結婚するとは、おどろいた。

オーバーでなく第三次世界大戦勃発以上のショックだった。

「いったいそれ、どこから聞いたのよ」

はたち前だか三十過ぎだかわからないような化粧の娘がたずねた。

噂を運んできたのは、マリンルックにソバカスの目立つ女の子である。

「兄貴がさあ、四ツ谷《よつや》重工業にさあ、つとめてるじゃん」

「関係ないだろ」

年齢不詳が頬をふくらませた。

「そりゃあんたの兄上は、エリートだけどさあ」

「ところが関係大ありなの。……兄貴がさあ、会社の社内報、持って帰って来たのよね。

……社長の五男が結婚するって。一面にデカデカ写真入りの記事」

「五男！　ようもまあ、つくってくれたわね……金さえありゃ生むというのか。人口問題をなんと心得ておる」

ものものしいデザインのメガネをかけた少女がいった。

と思うと、はっとしたように声を高めた。

「結婚といったわね！　まさかあ、その相手とゆーのが……」

「まさかも赤坂もなくなってさあ、バッチシアコだったのよん」

「四ツ谷の息子と結婚、アコが！」

年齢不詳がうめき、ダテメガネがうなった。

「すっごい玉の輿。一生ローンの計算せずに暮らせるね」

「ところがどっこい」

ソバカスが首をふった。あまりはげしくふったので、遠心力でソバカスが飛んで行くんじゃないかと思うほどだ。

「アコの正体たるや——これまた、三ツ江《みえ》コンツェルンの七人めの娘だったのよ！」

「えーっ」

今度ばかりは「うそ」と叫ぶ者すらいなかった。

「もっともさあ、三号さんに生ませた女の子だっていうけど、令嬢にはちがいないよ」

『アルカード』の店内が、またシンとなった。

ややおいて、

「道理で……」

つぶやいたのは、カウンターの中でシェーカーをふっている初老のバーテンだ。

「彼女には品があった」

「あるもんか」

ダテメガネがぷりぷりした。

「恥も外聞もなしに、男を追っかけてたじゃないか」

「よくあれで、トラブルが起きないもんだと思ったけど……」

年齢不詳がいった。

「頭へ来てる男に、札ビラ切って歩いている婆《ばあ》さんがいるって噂、聞いたことがあるよ。三ツ江の女中が、あとの尻ぬぐいして歩いてたんだわ」

2

おなじ財閥系でも、四ツ谷は硬派、三ツ江はどちらかというと軟派に属していた。

なんだか不良のジャンル分けみたいだが、四ツ谷の要は重工業——戦前は軍需産業を一手にひきうけて稼ぎまくり、戦後もその伝統をひきついで、朝鮮戦争とベトナム戦争でふくれあがった大企業だ。

それに対して、三ツ江は傘下にデパートや電鉄、家電など大衆生活に密着した企業をおさめている。

その点では他の財閥とちがって競合する部分が少なく、むしろ足りないところを補って、綜合的にビッグ1にのしあがろうという機運さえ見えた。

そんな背景を念頭におけば、たとえ五男と七女の婚姻であっても、財閥をゆるがす大事件であった。

――さもなければ、「夕刊サン」みたいな軟派専門の新聞が、食指を動かすわけがないのだ。

「おーい。負け郎《ろう》」

編集長兼任の田丸《たまる》学芸部長が、手をあげた。

可能克郎《かのうかつろう》、本名はたしかにカツロウだが、勝負の神に見はなされているらしく、ゆうべのマージャンでたてつづけにふりこんでしまった。

だから負け郎らしい。

だいたいこの部長は、出まかせに綽名《あだな》をつくるのが趣味だ。克郎も、その日のお天気次第で、いくつかのニックネームを頂戴している。

雨男というのは、克郎が年中ふられてばかり（もちろん女性に）いるからだし、Rマンというのは、ピーピーキューキューしている連中以下だからだ。PとQの下はRだぞうで、これでも田丸は東西大学の英文学科出身である。

「はあ」

仏頂面で、克郎は田丸の席に近づいた。

「ひまそうな顔をしているな。給料の手前カッコがつかんだろう……新宿プラザホテルへ、行って来い」

カッコがつかないのは、雀《すずめ》の涙の給料を振りこむ会社じゃないか。

と、克郎は心中に悪態をついたが、まさかその通りいうわけにはいかない。

「プラザホテルで、なにがあるんです。裏ビデオの発表展示会ですか」

「そんなものなら、わいひとりで行く」

と、田丸はもっともなことをいった。もと関西のトップ屋なので、ちょいちょい訛《なまり》がまざる。

「結婚式の取材だ」

「またタレントが実業家と結婚するんでしょ」

「実業家にはちがいないが、格がちがう……格が」

田丸は、自分まで格が上がったような顔で、あごを突き出した。

「四ツ谷の息子と、三ツ江の娘がいっしょになるんや……経済界ではちょっとした話題になってる」

「へえ、そうですか」

克郎にとっては、経済界どころじゃない……わが家の家庭経済が、崩壊に直面しているのだ。くそ、マージャンなんかするんじゃなかった！

もっともわが家といっても、克郎はまだ独身である。

「ひとり者のきみに、参考になるだろう。せいぜいおもしろそうなネタを、仕込んできてくれ」

「はあ」

部長がおもしろがるのは、下ネタにきまっていたから、克郎も気が重い。

まさか四ツ谷の坊ちゃん三ツ江の嬢ちゃんに、

「初夜の体位は、どのセンできめますか」

なんて聞けないではないか。

冴えない気分で、新都心に突っ立つ四十七階の大ホテルにむかった。

白い壁にうがたれた無数の窓が、ひややかに克郎を見下ろしている。デラックスにはちがいないが、成り上がりの貴婦人みたいで、あまり好きになれなかった。手許不如意ないまは、なおさらだ。

ロビーに足をふみ入れたところで、肩をぽんとたたかれた。

マスコミ人種特有の、ヘンになれなれしい挨拶だ。

ふりむくと、東都《とうと》タイムスの民谷《たみや》記者だった。

「珍しいね……仕事か」

「あれだよ」

克郎が中央のエスカレーターを指した。

「四ツ谷家・三ツ江家結婚披露宴」のアーチをくぐって、ドレスアップした紳士淑女が、つぎからつぎへと運ばれてゆく。

「ほう……夕刊サンが取材するようなイベントじゃないがね」

いかにも場違いといわんばかりだ。むりもない、東都タイムスといえば一流の日刊紙である。

「おれもそう思うんだが、仕方がない。なにかウチむきの事件でも突発してくれればいいがね。……たとえば食中毒で、客が争ってトイレへかけこむとか」

声高だったので、クロークの女の子に白い目で見られてしまった。

「残念ながら、式も披露も順調に運ぶだろうね……両家のメンツがかかってるんだから。じゃあとで」

民谷はさっさとエスカレーターに乗りこんだ。

一流紙だけあって、パーティーに正式な招待を受けているらしい。

悲しいかな、夕刊サンはカヤの外だ。ご両人の記者会見までは、まだ時間がある……

所在ない克郎は、ラウンジでお茶でも飲むことにした。

天井が高く、床の絨緞《じゅうたん》が厚く、おまけに水を運んできたのが美女だったので、

（ヤバイな）

と思ったが、さし出されたメニューを見て、それが杞憂《きゆう》ではないことを知った。

いちばん安いコーヒーでも、七百円かかる。

果たして部長は、コーヒー代を取材費としてみとめてくれるだろうか。

不安にかられながら、コーヒーをすっていると、克郎の背後ですっとんきょうな声があがった。

「つめたいのよね、アコも」

「ガマンしてやろうよ……いいとこのお嬢さんがさあ、私たちとあそんでたなんてわかったらさあ、話がこわれちゃうじゃん」

「なにも披露に呼んでくれなくたって、いいんよ。友達甲斐に結婚を知らせてくれるくらい」

「令嬢はご多忙なのよ。三ツ江が四ツ谷と苗字《みょうじ》を変えるのは、われわれ下々の者に想像も出来ない大事件なのよ」

3

令嬢……

三ツ江……

四ツ谷……

この連中は今日結婚する三ツ江家の娘の、友人グループらしい。

克郎は、声のぬしたちに気取られないよう、ゆるやかに体の向きを変えた。

モケット張りのアームチェア三本に、それぞれ若い女が坐っていた。

「それが気に入らなきゃ、手榴弾《しゅりゅうだん》でもブチこむさ」

かっこいい足を組んだ、ダテメガネの娘がいうと、若いのか年増なのかわからない娘が、体をくねらせた。

「私はただ、彼女が水臭いっていってんのよう」

「四ツ谷の息子、かわいそ」

髪飾りのリボンをいじりながら、三人目の娘がいう。中学生みたいに、ひたすらかわいいソバカス少女だ。

「だってアコ、いまでも夢中なんでしょ……コースケくんに」

「そおね。もうあの子は卒業しちゃったんじゃないのお」

「いや待て」

メガネが、男っぽくいった。

「私きのうコースケに会ったんだ……がっくりしてるかと思ったら、意外にシレッとしててね、あの調子だと、いれこんでるのはまだアコの方だな」

「おッかしいわあ」

ソバカスが叫んだ。

「あのアコが、恋路半ばで見合結婚なんてするう？」

「こっぴどくふられてさあ、世をはかなんだんじゃないの」

「それもちがうよ」

メガネが、メガネを拭きながら断定した。

「私のダチが見てるんだ。アコとコースケがホテルへはいっていくとこ。アコ、かれの腕にぶら下がって、いまは最高って顔してたとさ」

「いよいよわかんない！」

あまりいじったので、リボンがほどけてしまったソバカスは、しょっぱい顔になって、コンパクトを相手に結び直しはじめた。そのあいだも、口は休まない。

「アコ、結婚にあこがれたのかしら……発作的に。ううん、そんなことないわ。姉貴たちみたいに愚劣な結婚するくらいなら、ヘビやワニ飼う方がマシだっていってたもん」

「いまにして知る、だ」

メガネがもっともらしくいった。

「三ツ江家の生まれだから、目がくさるほど政略結婚見ていたんだ」

克郎は三人の話に耳をかたむけながら、そっとポケットから披露宴招待状のコピーを取り出した。

夕刊サンは招待にあずかれなかったので、手を回してほかの社に手紙を、複製してもらったのだ。

新婦の名は、三ツ江敦子《あつこ》。

(なるほどアコか)

納得した克郎は、ついでに新郎の名もおぼえた。

四ツ谷良友《よしとも》。

エリート臭紛々の名前である。

「つまんないわあ」

年齢不詳がぼやいた。

「せっかく来たんだもーん。なんとかアコの花嫁姿のぞきたいな」

「よそう、よそう」

メガネがいった。

「頭のてっぺんから足の爪先まで、何百万円かかったような花嫁姿見るの、精神衛生にわるい」

椅子を回して、ソバカスが立ち上がろうとした。

「帰るのお？」

「ううん、おしっこ」

勢いがよすぎて、はなやかな色彩のスカートが回転した。

「あっ」

克郎の手からコップが飛んだ。三分の一ほどのこっていた水が、ズボンをぬらしてしまった。

「ごめんなさい」

「どうしよう」

「おしぼり、こっちへ！」

三人の娘は、てきめんにあわてふためいた。

思ったより気のいい連中らしい……克郎は、内心ほくそ笑んでいる。

実をいえば、少女のスカートは克郎の手をかすめただけだ。とっさの機転で、自発的にコップを落としてみせたのである。

——日ごろ要領のわるい克郎だが、時によってこれくらいのハッタリは使う。

4

ハッタリが功を奏して、克郎はうまく三人の会話に仲間入りすることができた。

メガネがトモノ。

年齢不詳がミエ。

ソバカスがロコ。

どうにか名前らしいものを聞きだすことができた。

三人はそれぞれ、ＯＬ・家事手伝・女子大生と立場はちがうが、六本木を根城に遊んでいるうち、アコこと三ツ江敦子と、グループをつくるようになったそうだ。

克郎が夕刊サンの記者と聞いて、三人はきゃっきゃっとはしゃいだ。

「あの、いやらしい新聞ね」

「いやらしいとこが、おもしろーい」

「『アルカード』のマスターが、とってるの。だから愛読してます」

「それは、どうも」

ハーレクイン・ロマンスも読むが、夕刊サンも読むという、近ごろの娘の精神構造がよくわからない。

「連載してるコラムに、『今日のチカン』ってあるでしょう。あれ、好き」

「ああ……おれの担当です」

「わあ。ほんと、チカンにぴったりし」

これをホテルのロビーでやられるのだから、たまらない。柄にもなく、克郎は赤くなってしまった。

「ね、ね、ケーキ食べよか」

「うん、食べよう」

「おじさんもどうお」

どうでもいいが、おじさんはひどい。克郎はまだ三十前である。

こんなとき、内ポケットをぽんとたたいて、

「勘定はおれが持つ。なんでもオーダーしなさい」

といえたら、どんなにか株が上がるだろうと思うのだが、克郎にそれをいう資格はない。辛うじて、

「い……や。おれは辛党だからやめとくよ」

ひきつった笑いでごまかすほかなかった。

「あらあ。私たち全員チューハイ大好き人間だけど、甘いものだってどんどん食べちゃ

う」

　道理でミエは、早くも中年ぶとりの気配があった。

「ちょっとおれ、記者会見のへやの様子を見てくるから、あとでゆっくり、彼女の話聞かせろよな」

　腰を浮かすと、代表してトモノがうけあった。

「いいよ。裏切ってさっさと結婚しちゃうんだもん。欠席裁判でむしってやる」

「頼むぜ」

　歩き出した克郎の目に、小走りに来た民谷の姿が映った。

（あいつ……パーティーへ行ったんじゃないのか）

　声をかけようとすると、民谷はついと横にそれた。

　ラウンジの入口近くに、赤電話をおさめたボックスが、いくつかならんでいる。民谷がはいったのは、そのひとつだった。

（なにをあわてていたんだろう）

　マスコミ屋らしいカンが働いて、となりのボックスへすべり込んだ克郎は、聞耳をたてた。

「……ホテル側は貝になってるがね、どうやらふたりは、式も挙げなかったらしい」

なんだって！

克郎はたまげた。

ふたりというのは、三ツ江敦子と四ツ谷良友のことか？

式というのは、結婚式のことか？

「披露宴には両方の親父《おやじ》があらわれて、主役不在を大汗かいて弁解した。……ちがう、ちがう。どっちかが式の直前に逃げだしたというんなら、まだわかる。そうじゃないんだ……状況としては、ふたりそろって駈け落ちしたとしか思えんのだ！」

もう少しで克郎は、

「そんな馬鹿な！」

というところだった。

第二章　フラッシュ・バック

1

「……どうしたのよお、おじさん」

席にもどった克郎は、さぞ間の抜けた顔をしていたことだろう。

とっくにケーキを平らげていたロコが、びっくりしたように声をかけた。

「記者会見、おわっちゃってたの」

「いや……」

首をふった克郎は、ともあれ水を一杯飲み干し、

「それどころか、ふたりがいない」

「え？」

三人そろって、目をぱちくりさせた。

「挙式の前に、アコと良友が駈け落ちした」

「ひえっ」

鶏をしめたような声を発したのはミエで、

「うッそォ」

ワンパターンの間投詞を挿入したのはロコ。

メガネを光らせて、トモノが聞きかえした。

「どういうことか、説明して」

「うん……説明といっても、仲間の記者が報告していたのを、受け売りするだけなんだが……」

克郎は、唇を舌でしめらせた。

2

花嫁三ツ江敦子は、文金高島田に打掛姿。

花聟《はなむこ》四ツ谷良友は、黒羽二重の着物と羽織の五つ紋、袴《はかま》は仙台平の縞《しま》だった。

挙式前だから、当然ふたりの控室はべつべつに分かれている。

しきたり通り、媒妁《ばいしゃく》人は新郎のへやに、媒妁人の夫人は新婦側のへやにはいった。

新郎新婦とも
「よろしくお願いします」

きちんと挨拶して、その後の変事を予想させるなにものもなかった。

ベテランの係員が定刻前に来て、こまかに式の順序を説明したときも、ふたりはいたって行儀よく聞いていた。

入場の十分前ころになって、敦子が「ご不浄へ行きたい」といいだした。

緊張が高まったためだから、やむを得ない。

赤ん坊のころから敦子の面倒を見ている、木山滝子《きやまたきこ》という中年の女性が敦子につきそって、トイレへ立った。

それっきり、敦子も滝子も帰ってこないので、不安になった係員が、トイレへ様子を見に行き、〝使用中〟となっている個室のドアをたたいたが、返事はなかった。

花嫁衣裳の敦子と、Lサイズの滝子が、小さな間仕切りの中にいるはずはなかったが、答えがないのは中で倒れてでもいるのであろうか。

おどろいた係員が応援を呼び、むりやりドアをこじあけると、洋式便器に腰を下ろした滝子が、壁にもたれるようにして眠りこけ、——少々滑稽なことに、彼女の頭に高島田のかつらが乗り、体に白無垢《しろむく》の花嫁衣裳がかけてあった。

トイレのドアは、簡単な掛金でロックされていたが、その金具にほそいテグスが巻きついていた。

これでおおよその事情が、のみこめた。

たぶん滝子は、敦子のためにクロロフォルムかなにかで、眠らされたのだろう。

かつらと衣裳をぬぎ捨てた彼女は、テグスを引いて掛金を浮かせたままドアの外へ出、糸をあやつってロックしてから、逃げ出したのにちがいない。

三ツ江家が、敦子探しに狂奔しているあいだに、四ツ谷家でも新郎が姿をかくしていた。

女性の場合とちがって介添役を必要としなかったので、いっそう状況はわかりにくい。

だが、ホテルの近くに駐車してあった、かれの車が消えたことは、間もなく確認されている。

騒ぎが本格的になってから、三十分もたったころ、ボーイがあずかっていた手紙を持ってきた。

宛名は「四ツ谷・三ツ江家ご両親さま」とあり、見おぼえのある良友の筆跡だった。

両家立ち会いの上、あけてみると——

「私も敦子も幸せに暮らしてゆくのに、けばけばしい結婚式を必要といたしません。ご迷惑をおかけしますが、どうかご心配なく」

大意そんな文章がつづられていた。

若いふたりのわがままに腹は立ったが、はじめ案じられた誘拐でもなんでもなく、合意の上の出奔とわかって、両家の親たちはひとまず胸をなでおろした、という。

問題は、披露パーティーで待ち惚《ぼう》けを食わされている客たちの始末だ。

仕方なく、花聟花嫁の父親が頭を下げて、いち早く新婚旅行に出発した——と、口裏を合わせた。

客たちも首をかしげたようだが、エチケットとして深く追及する者もなく、要領を得ないままにパーティーはおひらきとなったのである。

3

「おかしいわよ」

と、ロコがいった。

「なんだってアコたちが、駈け落ちしなくちゃならないのよお」

「結婚のケの字もいわなかったアコだから、大々的に詰めかけた客を見て、恥しくなったんじゃないの」

わけ知り顔にミエがいう。

「そうかなあ」

「そうよ。考えてごらんなさい。パーティーに来る客の目つき。

『あの男とあの女が、今夜ヤルんだな』

『どっちが経験ゆたかかな』

『もしかしたら、ふたりともそろそろ倦怠期《けんたいき》じゃないかしらん』

口にこそ出さないけど、腹の中では、みんなそういうことを考えているんだわ。そんな客の前で、面白くもないのににこにこしてみせるなんて、アコにできるもんですか」

「……なるほどね」

ぼそっとつぶやいたのは、トモノである。

「ね、そう思うでしょう」

「いや、私がいうのは、アコも相手の彼も、ずいぶん考えたもんだってこと」

「なんだ。それはどういう意味だい」

克郎が妙な顔をした。

「アコはやっぱり、私たちの知ってるアコだった……結婚なんて、真平ごめんだったのさ。だけど、正面きって行動にうつせば、相手が傷つくだろ」

「それで、ふたりそろってドロンしたというのお？」

ロコが目をまるくした。

「そうだよ。いよいよとなったら、アコのやつ自分だけでもトンズラする気でいた。そんなことされてみな、四ツ谷良友としては、立場ないやね」

「そりゃそうね……『卒業』でさあ、花嫁に逃げられた花聟みたいなもんだわ」

「だからといって、手を突いて頼んでもいうこと聞くようなアコじゃない」

「うん……そう思う」

「だったら、良友坊ちゃんとしては、のこる手段はただひとつ」

「自分もいっしょに逃げる！」

「そうか」

やっと克郎は、うなずいた。

「花嫁花聟そろって消えれば、どちらの責任にもならないから、うやむやになる――という計算が、働いたんだな」

「そんなのって、ないわ」

ミエが、不満げにいった。

「どたんばでさあ、大騒ぎするくらいなら、最初っから見合しなきゃいい……結婚絶対いやってがんばればいい」

「ところがそうはゆかないんだよ」

田丸部長から、若干の予備知識をもらっている克郎が、代って答えた。

「われわれ庶民とちがって、ご大家というのは不自由なもんでね」

4

洗練された六本木とちがって、新宿の盛り場は泥臭く、そのぶんぎらぎらした庶民の生命力にあふれていた。

目をつむっても、瞼《まぶた》の裏が白くかがやいているほど、町が明るい。

どこから湧き出したか、無数の若者が、あるいは歩きあるいは立ち止まりあるいは群れていた。

「たまにはこんなところも、よろしいんじゃありません？」

敦子が微笑《ほほえ》むと、良友はもじもじした。

いかにも場なれしていない様子だった。良家の子息らしくノーブルな顔立ちだが、スポーツで鍛えているとみえ、セーターからはみ出た腕はけっこうふとい。

「四ツ谷さんは、あまり外ではお飲みにならないの」

「いや、そんなこともありませんが……赤坂のホテルで、たまに」

「上品でいらっしゃるから、四ツ谷さん」

「その……」

肩をならべて歌舞伎町を歩きながら、良友は、いいにくそうだ。

「四ツ谷というのは、やめてください」

「あら。じゃあなんとお呼びすれば、いいのかしら」

わざと無邪気に目を見ひらくと、良友が空咳《からせき》した。

「良友……でかまいません。どうせぼくたちは、結婚するんじゃありませんか。他人行儀はやめましょう、敦子さん」

「その件で、今夜はこっそりお出《い》でいただきましたのよ、四ツ谷さん」

敦子は、くすくす笑った。

「私に結婚の意志はございませんわ」

「え？　すみません、ゲームセンターの音がうるさくて、よく聞えなかったんですが」

どうやら敦子は、めんどう臭くなったようだ。良友の肱《ひじ》を、ぐいと引いた。

「あちらへ参りましょう……ゴールデン街に、知っている店がありますから」

ゴールデン街といわれても、良友にその方面の知識はなかったようだ。

飲み屋が肩を寄せあい、ひしめいている有様を見て、かれは感心した。

「こんなにたくさん店があって、よくまあつぶれずにやってゆけますね」

その一軒のドアを、敦子はあけた。『蟻巣《アリス》』——という。

おんぎゃおおおん。

店のぬしのような面構えの猫が、歓迎の声をあげたので、良友はびっくりした。

「ママ、おはよ！」

気易《きやす》く敦子は、カウンターの中で氷を割っていた、年増の美女に手をあげてみせた。

「あら、いらっしゃい。今日はアコ、六本木じゃないの」

「ん。あんまし仲間に聞かれたくない話だもん。二階、借りるね……密談なんだ」

「いいわよ。先にオーダーしといて」

「私、いつもの」

「チューハイね。そちらは」

「四ツ谷さん、どうする」

聞かれて良友は、あわてて答えた。

「あ、うん……敦子さんとおなじでかまいません」

二階といっても、屋根裏べやのようにせま苦しい。

「だけどここなら、プライバシーが守れるじゃん……はい、どーぞ」

チューハイのグラスとグラスがぶつかり合って、硬い音をたてた。

良友は、敦子がにわかにくだけた言葉遣いになったためか、まじまじと彼女をみつめている。

「……で、さっきの話のつづき」

敦子——というより、本性をあらわしたアコは、チューハイをぐいと一気に呷《あお》った。

「申し訳ないけど、私は四ツ谷さんと結婚する気にならないの」

「し、しかし」

良友は、焼酎にむせた。

「ちょっと、私にしゃべらせて。……そんならなぜ、結婚に同意したかっていいたいんでしょ。当然だわ……だけどさあ、あなたにだってわかるんじゃない？　四ツ谷と三ツ江の接近は、私たちの親の既定のプログラムよ。そのためには、私とあなたの意志なんて、どうだっていいの」

「それは、ひどい」

良友が抗議した。

「少なくとも、ぼくの父は……」

「孝行な坊やよ、四ツ谷さんは」

敦子は、きゅっと鼻の頭にしわを寄せた。

「あなた、いままでパパのやり口に反対したことある？　ないんでしょ。それじゃパパだって、やさしくあつかってくれるわよ。だれでも自分に尻尾をふって、なついてくれる犬はかわいがるもん。でも、もしその犬が牙をたてたら？　あなたのパパも、むろんうちのパパも、足をあげてけとばすでしょうね……わかってるんだ。私のママは三号だけど、パパが二号をお払い箱にしたときの、冷酷無残ぶり。四ツ谷さんだってさあ、ママは正妻じゃなかったわよね？」

「……」

良友は口をつぐんだ。

「あなたも私も、二大コンツェルンが協定を結ぶための、コマでしかないのよ。コマが人なみに口きいて、政略結婚いやだなんていってごらんなさい……どうなると思う？」

「……」

「私はいいわよ。女ひとり、食ってゆく自信持ってるんだ……ポルノタレントでもＳＭのモデルでもＯＫ」

ぎょっとしたように顔をあげた良友におかまいなく、アコはつづけた。

「だけどさあ。私が結婚にノーといって、パパのところを追ん出れば、とばっちり受けるのママだもん。うけあいママ、クビにされちゃうね。だから私は、表むきこの話をつつしんでお受けしたんだ。……それからおもむろに、小さな胸を痛めたの。式の日取りが近づいて、えいもうなんもかんも忘れて、このままスーッと消えちまおうかって……でも、そんなのヒドいよね。少なくとも四ッ谷さん、めッちゃんこ傷つくよね……ね？」

「は、はあ」

良友は、出来のわるいロボットみたいに、がくがくうなずいた。

その良友にむかって、敦子が体を乗り出した——。

「そいでもって、相談。……どうお、私とタイミング合わせて、逃げてくんない？」

5

「そう考えると、ふたりの行動は同情に値するね」

トモノが、鼻の頭まで落ちたメガネを、ずり上げていった。

「金持の家なんかに、生まれるもんじゃないわあ」

と、ロコがいう。ミエは笑った。

「それでも、やっぱお金はほしいけどさあ」

「……ま、ご両人失踪《しっそう》のいきさつはそんなところとして、商売柄おれはふたりの行先をつきとめにゃならん」

「ははん」

トモノが、俄然《がぜん》警戒の目で見た。

「そうかい。記者さんアコを売ろうというんだ」

「まあ、ひどいわン」

「許せないわよお」

ロコとミエがはりあげると、なん人かの客がこちらをふりむいたので、克郎もあせった。

「アコのさあ、居場所がわかったら、すぐ三ツ江家に知らせようというんでしょ」

「ちがうんだ……そんなことをしたら、かえってトラブルになる」

「どうして」

「考えてみろよ。三ツ江も四ツ谷も、自分たちの知らないところで、ふたりが結婚生活にはいった――と思っているから、ぶじなんだ。これがもし、アコがそのコースケとかいう男と同棲《どうせい》してるなんて、ばれてみろ。大騒動になっちまう。おれはそんなことするつもりはないね」

「だったら、なぜ調べるの」

「おれも新聞記者だ……他社が書くようなら、負けずに書かなきゃならん。そのためには、ネタを仕込んでおく必要がある」

「アコがどこに、どうしているかわかっても、すぐには書かない——というんだね」

トモノが、レンズをきらめかせた。メガネをかけた豹《ひょう》みたいで、なかなかの迫力と見た。

「書かん」

「証拠は」

「証拠は……」

克郎は、詰まった。

「ない」

「ないですむのお」

ミエがすごんだ。

「この際、信用してもらうほかはないな。……もしおれがお先っ走りで書いちまったら、あんたたちおれを強姦《ごうかん》罪かなにかで、訴えていいぜ」

「アハッ」

笑ったのはロコだ。

「いやだあ……私たちとおじさんとくらべたら、強姦されたのおじさんの方だと思うわ、マッポは」

男のプライドをもみくちゃにするようなことをいう。

しばらく克郎をにらんでいたトモノが、やがていった。

「まあいいさ。私たちだって、アコが心配だから心あたり探そうと思ってる。……ついて来るなら、いっしょに来な」

伝票を手に、トモノは立った。その手に、自分の伝票まであるのを見て、克郎があわてていった。

「おれの勘定は、おれが」

「心配しなくて、いいよ、懐はおじさんよか私の方が、あたたかいんだ……きのう、バイト代がはいったもんね」

「あ、そう」

返す言葉がない。

「おごったげる代り、さっきの約束守るんだよ……いい子だからね」

女三人さっさとレジにいそぐあとから、克郎は、ビールの気が抜けたような顔でついて行った。

第三章　ストリート・オブ・チェイス

1

一行は、青山《あおやま》まで車を飛ばした。

子どもっぽい顔をしているが、ロコは運転歴はすでに四年だという。

「青山に、芸能プロのユノキってのがあるんだ」

道すがら、トモノが解説してくれる。

「コースケ……柳幸介《やなぎこうすけ》は、そこのマネージャーだよ。今日は定例の会議があるはずだ……さっき電話をかけたら、七時におわるといってた」

「前で張ってて、コースケのあとをつけるというんだな」

「そう」

「だけどさあ。コースケくん私たちの顔を知ってるよ。尾行するの、やりにくいんじゃない」

ミエがもっともなことをいうと、トモノは、克郎にむかってあごをしゃくった。

「だから、この記者さんを連れてきたんだ……刑事ほどじゃなくても、尾行はできるんだろ」

「やってみよう」

たのもしく答えてみせたが、白状すると、自信がない。……なんの、一か八かやってみるさ！

外苑《がいえん》入口にほど近く、ユノキプロのオフィスがあった。二四六号線に面して、ささやかな看板を出したきりだが、外画やアニメの声優を中心に、一流のタレントを傘下におさめていた。

うまい具合に路上駐車が少なかったので、プロダクションのまん前に車を止めておくことができた。

克郎は、歩道へ出た。

すぐそばの電話ボックスにはいって、十円を入れるふりをしながら、ユノキプロの入口と、娘たちの車を交替に見やった。

七時を二十分ばかり回ったころ、ユノキプロからなん人かの男女があらわれ、散っていった。

日はとうに暮れていたので、見当がつけにくかったが、あらかじめ聞かされていた顔形と、車窓からの娘たちの合図で、その中のひとりがコースケであることがわかった。

わき目もふらず、かれは地下鉄へ下りて行く。

克郎が追った。

さらにそのあとを、トモノが追って来るはずだが、ふりかえる余裕はない。

地下鉄外苑前駅は、かなりの混雑を見せていた。

コースケがすべりこんだ電車は、浅草《あさくさ》ゆきだった。古めかしいリベットの頭を見せた黄色い車輛《しゃりょう》が、コースケを、つづいて克郎をのみこんだ。

かれが下りたのは銀座駅だ。

迷いのない足取りで、コースケは銀座通りを新橋《しんばし》方向へ歩いてゆく。

右へ曲った。

また右側の店にはいった。食事をとるつもりらしい……階段をのぼったところを見ると、店そのものは二階なのだろう。

見上げると、窓にしゃれた障子がはまり提灯《ちょうちん》が下がっている。表の看板には『古《こ》窯《よう》』とあった。

格調がある——ということは、当然勘定も安くなさそうだ。

オケラの克郎としては、二の足をふんだ。その目の前に、

「ほら」

万札をなん枚か突き出したのは、トモノだった。

「お金、ないんだろ」

「すまん」

気がききすぎて、鼻白む思いだったけれど、事実であってみれば仕方がない。

「私は、おむかいでお茶飲んでる……ほかのふたりも呼ぶよ」

「わかった」

金をポケットへねじこんで、克郎は階段をあがった。

「いらっしゃいませ」

着物姿が板についた丸顔の女性が、愛想よく出迎えてくれる。

「お待合せでいらっしゃいますか」

「いや……」

克郎は言葉をにごした。目の前にのびたカウンターに、コースケの横顔があった。うまい具合に、そのとなりがあいている。

「ひとりだから、カウンターでいいよ」

腰を下ろすと、てきめんに隣席の会話がひくくなった。

コースケの体でかくれていたが、かれのむこうに女がいる！

克郎は、メニューを目で探すふりをしながら、女を見た。

若い。

かわいい。

編集長に見せられた写真に、そっくり。――まさしく、三ツ江敦子がそこにいた。

「あの、お献立でしたらあそこに」

注文をとりに来た、先ほどの和服の美女が、にこやかに声をかけた。

それはわかっているんだが、こっちにも都合がある。

やむなく顔を回転させて、壁にかかった「本日のおすすめ」を見た。この店は、山形料理で売っているらしい。酒と、土地の名産らしいあけびの肉詰を注文して、隣席の会話に耳をすませた。

「……とうとう、やったね」

「うん」

「まさか、本気とは思わなかったから、電話をもらっておどろいた」

「あら、私はいつだって本気よ」

「だけど、四ツ谷さんの方は……」

「知らない。かれはかれで、適当にやるでしょ」

コースケが酒をついでやった気配だ。

「つめたいんだね。かりにもあんたの聟さんになるはずだったんだろう」

「あの人は思ったかもしれないけど、私は一度だってそんな気にならなかった。……コースケだけよ」

空気がゆらいだ。

敦子がコースケに体をあずけたのだ。女の情熱に押されて、男が居心地わるそうに体を動かした。

(やれやれ)

アコにはわるいが、克郎には、彼女の思いきった行動が、徒労としか思えない。

トモノたちとちがって、コースケは早くからアコの身の上を知らされていたのだろう。映画や小説の中の事件じゃあるまいし、ご大家の姫君が、三下奴《さんしたやっこ》と世帯を持つ気になったって、うまくゆくはずがないのだ。

(ほい)

克郎は心中ひやりとした。

——そんな、夢も希望もないことを考えるようになるとは、おれも年をとったもんだ。

アコは無謀で、軽はずみで、気に入った男ほしさの衝動に過ぎないのだろうが、

(おれよりずっと若い)

うらやましい。

前後の見境いがつかない未熟さを、克郎はなつかしいものに思った。

のどにしみる酒の味が、心なしか苦かった。

2

アコとコースケを追って、克郎は外堀《そとぼり》通りへ出た。

銀座人種には、外堀通りというより電通通りといった方が、わかりいいかもしれない。いまでは電通は、ビルだけのこして、本社機能をそっくり築地《つきじ》に移してしまったが、それでもこの一帯は依然として電通通りなのだ。

ふたりは、旧電通ビルの前でタクシーを拾った。

克郎もつづいた。

トモノたちが、つぎのタクシーに乗ったまでは確認したのだが、そのあとがうまくない。

すぐ後ろでマイカーが接触事故を起こしたのだ。

あぶないところで克郎の車は、渋滞にまきこまれずにすんだが、三人娘はそうはゆかなかったようだ。

前の車は六本木にむかって、ずんずん走ってゆく。

こうなれば、追跡は克郎だけだ……さいわい金は、先ほどトモノに渡されたぶんがまだのこっている。

（おれひとりだけでも、ふたりの落ち着く先を突き止めるぞ）

ふたりは、飯倉《いいくら》で車を捨てた。

六本木の繁華街まで、まだ少し距離がある。

（ラブホテルかな）

百メートルほど離れて下りた克郎は、アコたちの様子をうかがったが、動き出す気配がない。

なにか興奮しているみたいで、アコの大きなゼスチュアが、目にはいった。

仕方がない、克郎は酔っぱらいの演技で、ふたりにヒョロヒョロと近づいた。

切れ切れだった声が、すぐつながって聞えるようになった。

「……こんなに真剣なのに！　……いっしょは、いやだと……」

「遊びは遊びと、わりきろうよ……あんたは、財閥の令嬢で、おれは……でしかないんだ」

「逃げようっていうの、いまになって」

「そんな、マジにならんでくれ」

コースケが、アコの腕を取ると、相手は猛然とそれをふりはらった。

「なによ。どこへ連れて行こうっての！」

「きまってるじゃないか」

街灯の明りで、コースケがずるそうな笑みを浮べているのがわかった。

「この坂の下だぜ……おれたちがはじめて結ばれたホテルは」

もう一度手を取ろうとすると、ピシャッと小気味のいい音がひびいた。

アコが、コースケをひっぱたいたのだ。

この様子では、タクシーの中で、かなりはげしくやりあったにちがいない。

計算通り結婚式を脱走したものの、アコにとって、コースケの離反は計算外の出来ごとであったとみえる。

「こいつ！」

コースケが、仮面を外したみたいに獰猛《どうもう》な口調となった。

あべこべに彼女をなぐりつけた。

かなり効いたようだ。

よろめいたアコは、下り坂になった路地へ、いまにも腰を落としそうになった。

「てめえ、この……ざけンじゃねえよ！」

やっと立ち上がろうとしたアコは、顔面にコースケの膝げりを食らい、仰向《あおむ》けにひっくりかえって、くぐもった悲鳴をあげた。

こうなっては克郎も、見捨てておくわけにゆかない。

千鳥足の演技を中止して、かけつけた。

「おい、やめろ!」

「なに」

ふりむいたコースケは、克郎をみとめて、ひどく意外そうな顔になった。

「あんたか」

あわてて、克郎の肩越しに表通りを見すかした。ほかにまだ人はいないか、心配になったのだろうか?

「ははあ……そういやあんた……『古窯』でもおれのとなりに坐ったね」

コースケは、一歩前へ出た。

「あんたの注文のし方で、あの店がはじめてとわかったよ。おれは山形育ちだから、なつかしくってちょいちょい行くんだ。……どうやらあんた、おれをつけて来たな? おれというより、三ツ江のお嬢さんを」

かわすひまもなく、コースケの猿臂《えんぴ》がのびて、克郎は胸倉をつかまれた。

「ブン屋か? レポーターか? おい!」

マネージャーにしておくのが惜しいほどの、強力《ごうりき》だった。

克郎は、自分の両足が宙に浮くのではないかと、思った。

「なんとかいったらどうだ!」

なんとかいおうにも、克郎は息が詰まって、口がきけない。

ばたばたもがいている最中に、突然呼吸が楽になった。

どうしたんだ？

反射的に、しめあげられていたのどを撫でようとすると、目の前で、派手な音をたてて
てコースケがでんぐりかえった。

「畜生」

はね起きたかれは、上目遣いに自分をたたきつけた男の顔を見――、

「おぼえてろ」

すぐに、おきまりの台詞《せりふ》を投げて、坂をかけ下りて行った。

強力のコースケを、子猫のようにあしらった相手は、四ツ谷良友である。

呆然《ぼうせん》と、男同士の争いをみつめていたアコが、ようやく声を発した。

「四ツ谷さん！」

……すると彼は、つつましく、だがいくらか悲しそうな声で応じた。

「出来れば、名前で呼んでほしいんです……」

3

『アルカード』は、珍しくすいていた。手持無沙汰に、カウンターにカードをならべて

いたバーテンが、はいってきた客二人を見て、目をまるくした。

「アコ……いや、敦子さんじゃないか」

ボックス席に陣取ったのは、敦子と良友、それに克郎だ。

三人は、バーテンが運んできたチューハイを手にしたが、だれも口をつけようとしない。

飲む前に用をすませようというふうに、良友が口を切った。

「もう一度、確認させていただくけど……あなたは、彼女たちとかわした約束を、たしかに守るつもりですね」

「念には及ばない」

と、克郎は答えた。

「おれは、テレビのレポーターじゃないんだ」

「わかりました」

良友がうなずいた。

「信用します」

「ありがとう」

「……飲んでいい？　四ツ谷さん」

アコが、グラスを持ったまま、いった。

言葉にほんの少し、甘えたようなひびきがある。

と思うと、いそいでいい直した。

「良友さん」

青年は破顔した。

「もちろん」

「のど、渇いちゃったんだ」

アコは、グラスを心もちかかげてみせてから、中の液体を、ひと思いにのどへほうりこんだ。

「うまーい」

「では」

良友も、かるく飲み干した。

「ねえ」

アコが、少しばかり体をすりよせた。

「どうして良友さん、あんなところにいたの？」

「きみに聞いただろう、六本木のことを……」

と、良友の言葉も、少なからずくだけてきた。

「今度きみに会うまでに、少しはこの町に強くなろうと思って。それで、ひまにまかせて歩いていたんだ」

「ふうん……そうなの」

アコは、正面から良友を見た。

「それだけ?」

「それだけだよ」

良友の、微笑。

アコの表情も、ゆるんだ。

「それじゃ私が、あそこで助けられたのは、すっごい偶然だったんだ」

「そういうことになる」

アコをすくったのはおれで、おれを助けたのが良友だ。

克郎は訂正しようとして、やめた。

良友をみつめるアコの表情が、しっとりとぬれている。

三人娘は、アコのことを、恋多き女といった——彼女のあたらしい恋が、生まれようとしているらしい。

「いらっしゃい」

バーテンの声が聞えたので、克郎は、目をそらしてドアを見た。

はいってきた客は、メガネとソバカスと年齢不詳の三人娘だった。

三人そろって、てきめんに大声をあげた。

「アコ！」

「どこにいたのよ！」

「あッ」

三つめの声が悲鳴に代ったのは——いうまでもなく、良友の存在に気づいたからだ。

「この人、……」

ロコがなにかいいかけると、アコが機先を制した。

「良友さん。……知ってるでしょ？　今日私と結婚したヒト」

三人が三人、口をあけっぱなしにした。

……当分、ふさがりそうもない口ばかりだった。

第四章　魔女の伝説

ひと月がたった。

その夜の克郎は、珍しいことに勝つ郎だった。

いつぞやの敗戦をつぐなってあまりあるひとり勝ちであったので、大いに祝盃《しゅくはい》をあげた。

といっても飲んだ場所がゴールデン街では、大したことはない。

仕上げのつもりで、ゆきつけの一軒『蟻巣』のドアを押すと、
おんぎゃおおん。

おなじみの猫の声といっしょに、

「あら！」

聞きおぼえのある女の声がした。見ると、三ツ江敦子だった。

――いや、正式に婚姻届を出したというから、四ツ谷敦子がそこにいた。

「これは、どうも」

「可能さんも、このお店知ってたの？」

「妹がちょくちょく来るんでね。……あなたも？」

「従兄妹《いとこ》に紹介されて、来るようになったわ。なににする」

聞かれて、克郎は、ママがいないことに気づいた。

「お買物に出かけてるの。そのあいだお留守番。……むずかしいカクテルなんか注文しても、だめよ。チューハイにしなさいね、チューハイ」

勝手にきめられてしまった。

「私もいただこっと」

四ツ谷家令夫人にあるまじき飲みっぷりで、敦子はおいしそうにグラスを呷った。

その白いのどを見て、克郎は思いきって口を切った。

酒がはいっていなければ、多分いいださなかったろうが——、

「その後、しあわせですか」

「え？　ああ、良友と世帯持ったこと？　なんとかやってるわよ」

「四ツ谷家と結婚するのを、あんなにいやがっていたのに……よくまあ、あっさり転向しましたね」

敦子は、ちらと克郎をにらんだ。

「それ、皮肉？」

「率直な感想です。……転向のきっかけは、やはり良友くんの、颯爽《さっそう》たる登場ですか」

「あの晩の、六本木の活劇ね。……そんなところよ」

「悪玉柳コースケを、鎧袖一触《がいゆういっしょく》した四ツ谷良友、正義の味方！　……惚《ほ》れっぽいあなたは、いっぺんにのぼせあがった。……」

「やだあ」

まめまめしくダスターで甲板の汚れを拭いた敦子が、ななめから克郎を見た。

「奥歯にものがはさまってるわ。はっきりいわないと、可能さん虫歯になるわよ」

「じゃ、いいます」

克郎は、両膝に拳をそろえた。

「あれがみんな、良友氏とコースケの共謀だったとしたら？」

「共謀？」

「そうですよ！

あなただっていったじゃないですか……すばらしい偶然だった、と。

都合のよすぎる偶然と、いいかえることもできる。

おれが、コースケの前に飛び出したとき、あいつの表情は、実に奇妙な変化を見せました」

「まあ。どんな」

敦子のリアクションは、ひとごとみたいだったが、克郎は気負ってつづけた。

「まるでおれが来るのを、待っていたような……。

それから、おれに気づいてあてが外れたような……。

ほかにだれかいるんじゃないかと、キョロキョロおれの後を、目で探ってました」

「どういう意味かしら」

「きまってます。コースケは、千両役者の——四ツ谷良友の登場を、いまやおそしと待ちかまえていたんだ」

「つまり、ふたりはグルだったというのね？」

「まさに、そうです！

あなたは熱かったが、コースケはさめていた。あなたのようなブルジョアのお嬢さんは、恋愛ごっこの対象になっても、結婚の相手としてベストとは、まったく考えていなかったでしょう。

それに反して良友氏――現在のあなたの旦那さんは、あなたを結婚の対象と見た。たしかに、四ツ谷の息子のかれなら、それだけの力と自信があっていい。

だが、肝心の、あなたは、頭から問題にしていない……駈け落ちと思わせて、両家の親をごまかそう。そんな現実ばなれした提案をする有様です。

あなたに執着する良友氏は、あなたの身辺をさぐり、コースケの存在を知った。

取引を申し出た……

コースケは、良友氏に買収されたんだ。

ユノキプロで聞きましたよ。かれは一時アクションタレントを志していたそうですね。だから、殴られる演技は、慣れたものだ。

大金をつかんだかれは、山形の故郷へ帰りました……郷里にのこしたお母さんが、病気だそうです」

「ああ……それでコースケ、お金がほしかったのね」

どこか、ほっとしたような口調の敦子だった。

「旦那を信じているあなたに、いおうかいうまいか迷ったんだが……」

話したとたん、後悔をはじめたとみえ、克郎はうつむいた。

「やっぱりしゃべっちまった。あなたがしあわせだなんてのろけるんで、つい……おれのジェラシーですかね。男らしくねえな、おれも」

チューハイののこりを、すすりこむ。

すると、敦子がいった。

「気にしなくていいわ、可能さん」

「え？」

目をあげると、彼女はうすくほほえんでいた。

「あれがふたりの芝居ってこと、知った上で結婚したんだもの」

「なんですって」

克郎は、びっくりした。

「あれが――コースケと良友氏のなれあいだってことを」

「わかってたの。だから私、よろこんで、自分の意志で良友を選んだの」

事実、失踪した次の日に、ふたりは四ツ谷家にあらわれて、軽率を反省し、あらためて内輪の披露宴をひらいてもらっていた。

「……よくぞ私をだましてくれた！　皮肉でもなんでもなく、私はそう思ったわ。はじめて会ったときのかれは、どうしようもないボンボンに見えたの。食い足りないっていうんじゃなく……こんな馬鹿正直、マジメ一方の男では、とても四ツ谷の看板背負った家庭生活なんて、出来っこない！　そうでしょう？　私は若いし、遊び好きだし、嫁になったからって生活態度変えるつもりないし。

まともに受け取れば、姑《しゅうとめ》も舅《しゅうと》もカンカンになるわね。そこをうまくごまかしてくれるような男でなきゃ、私の亭主役はとってもムリよ。

将来四ツ谷グループの会社の、どれかをまかされたときだって、誠実でうそをつかない、そんなお人柄だとしたら、あっという間に倒産だもん。

でもかれは、ほんとうにほしい私のために、大金使って、私をだまそうとしてくれた。それだけの機転と根性があるのなら、結婚相手に出来そうだ……

そう判断したのよ。

可能さんどう思います？　私たちより確実に、いくつかオジンなんだから、生活のチエ持ってるでしょう。

私が、結婚相手を選んだやり方……間違っていたかしら」

「……」

克郎に、応える資格はなさそうだった。

ひと言も口がきけずにいるかれを、『蟻巣』のチェシャそっくりな猫が、にやにや笑いで見上げていた。

第七話　あくまで悪魔

ある会話　1

「……また殺しましたね。あなたという男《ひと》には、良心がないのですか」

「けっ。なにをぬかす。そういうてめえが、おれの良心じゃねえかよ。昼となく夜となく、ブチブチ頭ん中でグチをこぼしやがって。今日だってよ、お前のおかげであやうく殺しそこねるところだったんだ」

「当然です。私は、あなたという悪魔に、少しでも早く正道にもどってほしいと考えているのですから」

「やいっ」

「なんですか」

「だまって聞いてりゃつけあがって……今日の仕事がなんだか、てめえわかっているのかよ」

「わかっているつもりです。みとめたくない事実ではありますが、私はあなたの一部であり、あなたは私の一部でありまして……」

「やかましい。そういう哲学的なことはどうでもいい」

「はい」

「いいたかないが、今日の仕事にはおれと女房の、これから先の人生がかかっていたんだ」

「承知しております」

「おれは殺し屋だ」

「承知しております……おそろしいことです」

「いちいち声をふるわせるなって。良心のウブなところを見せるつもりかしらねえが、演技過剰よ……やりすぎよ！」

「さようでしょうか」

「くせえ、くせえ！　……とにかくおれの職業がよ、殺し屋であるからには、キャッチフレーズを迅速、確実、安全、親切としたのは当然だろうが！」

「おことばですが……」

「なんでえ」

「迅速と確実はわかりますけど……安全と親切というのが、その……まるでタクシーの標語みたいで」

「ちぇっ。お前もおれの一部なら、もう少しわかっていてもらいてえな。安全というのは、万一おれがヘマをやっても、絶対にクライアントに累を及ぼさねえ……また親切というのは、ターゲットをひと思いに殺すこった」

「ははあ。……それが親切の部類にはいるのでしょうか」

「あたり前だ。下手くそな殺し屋なら、心臓から三センチ外れて当てる。ターゲットは、さんざ苦しみぬいてから死ぬ……かわいそうじゃないか、え？」

「それはまあ、そうですね」

「そうにきまってらあ。どうせ死ぬんなら、本人も気がつかないうちに、ただの一発であの世へ送る！　それも、できるだけ相手が幸せなときを見はからって、天国へ送り届けてやるのよ」

「とおっしゃると」

「きまってるだろう。欲の皮が突っ張ってる野郎なら、預金通帳の残高をかぞえてる最中だ」

「ははあ」

「女好きのじじいなら、妾《めかけ》のおなかの上でよ、アヘアへそりかえってる最中に、一発ぶちこんでやる」

「なるほど……一発やってるところへ、一発お見舞いするんですね」

「お。良心さんとしては、珍しくくだけたことをいうじゃねえか。……まあそういう工合に、ケースバイケース、少しでもターゲットをしあわせに殺してやろうというんだ。これが親切でなくてどうする」

「ごもっともです」

「そこで話は、今日のビジネスにもどるがね。おれは、横断歩道でターゲットの車を待ちかまえていた」

「はい」

「むろん敵さんは防弾ガラスの装甲車だ……めったなことで殺せる相手じゃねえ」

「もちろんです……なにせ、関東一帯をとりしきる、広域暴力団のボスでいらっしゃったから」

「だが、そこはおれだってプロ中のプロよ。横断歩道に停止したのをみすまして、あらかじめ車の下にしかけておいた、プラスチック爆弾をリモートコントロールで破裂させた……」

「はい」

「むろんその程度の爆発で、こわれるような車じゃない。だが、乗っていた連中はあわてふためいて飛び出した……」

「そこを狙って射った！　おそろしいことです」

「先走るなってのに。おれの得物《えもの》はライターに見せたピストルだ」

「さようでしたね」

「こいつの利点は、弾が真横に飛ぶ……つまりスナイパーのおれはそっぽむいてて、ターゲットに命中する、ということだ」

「おまけに消音装置つきですから、射たれたボスの身内も、弾がどこから飛んできたか、見当がつかないでしょう」

「そうとも。だから射ったおれは、すぐそばにいながら、悠々逃げおおせることができる」

「まことに、神をもおそれぬ仕業です」

「なんとでもいえ。……ところで、都合のわるいところもいくつかある。まず第一は、なんといってもライターに仕込んだピストルだ。極端に銃身がみじかくてな」

「命中させにくい、ということでしょう」

「そう、そう。おれほどの名人でも十メートルの距離まで近よらなきゃ、一発必中とゆかねえんだ……当然、引金を引く直前には、精神の集中が要求される……わかるだろう」

「よくわかります……将棋や囲碁の名人戦、あるいは大相撲を見ていましても、集中力にたけている方が、有利といえますからね」

「ところがてめえは、肝心のときに、おれの精神集中をさまたげた！」

「そういうことになりますか」

「とぼけるんじゃねえ！　……おれがターゲットを待っていると、ぶつぶついうのがきまってお前だ」

「……」

「良心というネーミングの声だ！」

「……」

「殺される男にも、かわいい奥さんや子どもがいるだろうとか、理屈でいや正しいのはターゲットの方だとか、年寄りで先は見えてる、もう少し生かしてやっても損はないとか」

「はあ……そんなことを、私がいいますので」

「いいますので、どころか耳の穴ん中で怒鳴りまくってやがる！　……おかげで今日は、もう少しで狙いそこねたんだ」

「いっそ、ほんとうに射ちもらせばよかったんです」

「やい良心！　……かりにもてめえは、おれの一部なんだぞ。万にひとつも仕損じたら、殺し屋としてのおれのプライドはどうなる」

「これはしたり、殺し屋なぞという下劣な職業に、プライドがあろうとは」

「ちっ、ちっ、ちっ。これだからおれはてめえがきらいなんだ。殺し屋だろうがコソ泥だろうが、その商売のおかげで、お前だって生きてきたんだ……いわば天職じゃねえか！」

「しっ」

「え……」

「虎夫《とらお》が目をさましましたよ」

「おっと、いけねえ。むずがってやがる」

「おむつがぬれてるんじゃありませんか」

「どうやらそうらしいな。よーち、よちよち……いまパパが、替えてあげるからね。泣くんじゃねえ」

「……ふふふ」

「なにがおかしい」

「いい手つきじゃありませんか。悪魔のような殺し屋だが、やはりあなたも父親ですねえ」

「ひやかすんじゃねえよ。なるほどおれは悪党だ……子どものころから、盗みも詐欺もはたらいた。いまじゃ殺し屋として顔が売れている。お前のいう通り、悪魔だろうよ……だが、そんなおれでも、女房の寿々子《すずこ》と、ひと粒種の虎夫はかわいい」

「わかりますよ……そのお気持。せめてもの夏木竜《なつきりゅう》の人間らしさとして、私は大いにみとめます」

「へっ、お前と意見が一致するのは、女房子どものことだけだな」

「かわいい息子であるだけに、自分の仕事を継がせたくないのでしょう?」

「そりゃそうよ。……見な、虎夫の面を。いま泣いたカラスが、もう笑ってらあ」

「天使ですねえ」

「まったくだ……悪魔はおれひとりでたくさんだぜ。ほーれほれ、カイグリカイグリトットノメ」

「いないない、ばーッ」

虎夫——3歳の場合

人間には、二種類ある。

いばる奴。いばられる奴。

だます奴。だまされる奴。

——そして勝つ奴。負ける奴。

夏木竜は、絶対に負け犬にはなりたくなかった。

彼の幼時における原体験は、債権者の前でひたすら頭を下げる父親の、後ろ姿であったのだ。

人のいいだけがとりえの父は、三代つづいた呉服屋をつぶして、それでも一生かかってはらいきれないほどの借財をのこした。

そのくせ、死ぬまでいいつづけた。

「人を恨んではいかんぞ。飢え死にせんだけでもありがたいと思わにゃな」

父は、竜が小学三年のとき、

「ありがたい、ありがたい」

と合掌しながら、ガンで死んだ。

おさない息子とふたり、とりのこされた母は、阿修羅になった。

「あんたのお父さんほど、情けない男は、見たことがない」

食事のたびに、亡き夫に悪態をついた母親は、水商売でためた小金をもとに、金融業をはじめた。

いまのサラ金の、はしりである。

事業はおもしろいように儲かったが、母親は、鬼と呼ばれ、悪魔と呼ばれるようになった。

竜が高校へはいったころ、母は、取立てにいった先で殺され、おもしをつけて、海にしずめられた。

警察が死体の発見に手間取ったため、犯人は噂にのぼりながら、なかなか逮捕されなかった。

業をにやした竜は、単身で犯人の家に乗りこみ、そいつをたたき殺して逃げた。

それが、夏木竜の記念すべき最初の殺しだった。

殺人者としてスタートしてから、すでに十五年の歳月が流れた。

そのあいだには、竜も人なみに恋をし、人なみに結婚した。

母の過激な生き方に共感しながら、心のどこかでは、父の平和な死に顔に、奇妙な羨望を抱いていたにちがいない。

妻は、寿々子といった。

彼女を伴侶に選んで、竜は、自分でも意外な気がした。

(もう少し母親似の女を選ぶかと思ったんだがな)

結果はあべこべとなった。

丸ぽちゃで無口な寿々子は、子どもを生んでも、まだ学生のように見えた。

夫に百パーセントよりかかり、仕事の内容にうたがいを持つことすら、なかった。

竜の表むきの職業は、経営コンサルタントである。

……まあ、それにはちがいない。どんな大企業でも、いや大企業だからこそ、人に知られぬダーティな部分がある。

竜は、その闇の世界におこる紛争を、実力で解決するコンサルタントとして、重宝がられた。

母の末路を知っている竜は、事業の推進に、臆病なほど慎重だった。

ビジネスは、すべて順調だった。

家庭も、あまいムードに包まれていた。

世のもーれつサラリーマン、家庭放棄のエリートにくらべれば、竜は模範的なホームドラマの夫であり、父親であった。

……そんな彼だから、虎夫の行動にぶきみな「芽」を発見できたのだ。

最初の兆候は、庭に下りた虎夫が、しきりと花壇の花をちぎりはじめたことだった。

「こら、こら」

その様子を、笑いながらではあるが、竜がたしなめた。

「かわいそうじゃないか、せっかく咲いている花を」

すると、寿々子が弁護した。

「虎夫ちゃんは、お花をいじめてるんじゃないのよ……占いをしているんだわ」

「占い？」

「ええ、そう。いつか私が、花びらをちぎって、

『願いごとがかなう……かなわない……かなう……』

って声を出していたの。虎夫ちゃん、そのマネをしているんだわ」

そのときは、それですんだ。

ひと月ほどたって、家でくつろいでいた竜は、庭にうごめく赤黒いものを見て、ぎょっとした。

「み……みみずだ！」

めったにこわいもののない竜だが、どういうものか、みみずだけは苦手である。

つい彼は、逃げ腰になった。

みみずが、それも一匹だけではない、四匹も五匹もうごめいているのだ。

よく見ると、そいつらは、もともと一匹であったのをハサミかなにかでちょん切られたもののようだ。

長さにくらべて、妙にムッチリとふといそいつらが、てんでにのたうち回っている。

血の気のひいた顔で、竜が悲鳴をあげようとしたとき、縁の下からヒョイと這い出したのは、虎夫だった。

その手にハサミを持って、幼児はにこりと笑った。

……寿々子似の、色白で目の大きい、愛くるしい男の子なのだ。

「パパ、ほら……ここにも」

彼は、左手にみみずの切れっ端をブラ下げて見せた。

そいつは、竜の目の前で、いやらしくピンピンとはねた。

「……！」

稀代《きたい》の殺し屋は、縁先にへたりこんだまま、ハサミの先でバラバラにされたみみずをつついているわが子を、呆然と見守るのみであった。

虎夫――5歳の場合

人間には二種類ある、といった。

考えてみると、人間そのものの中にも、二種類の魂を飼っているのではないか。

ひとつは善。

ひとつは悪。

ひとつは天使、ひとつは悪魔といいかえてもいい。

どんな善人、悟りすました高潔な聖者でも、その心の中をさぐれば、どこかにドロドロした欲望のかたまりが、とぐろをまいているはずだ。

さもなければ、聖者は人間ではなく、ロボットになり果てる。

逆に、どれほど悪に徹した人間でも、心の片すみに良心の光をともしつづけているのではあるまいか。

現に夏木竜が、それだ。

殺し屋のビジネス遂行を、胸に巣食う良心がさまたげる。魂の大部を領する悪の心が、猛烈に反撥《はんぱつ》する。

そんな図式の戦いが、日夜、彼の心の土俵にくりかえされていた。

――だが。

正と邪が、ただ一点で妥協するのは、一粒種虎夫についてである。

「あの子は、おかしいと思いませんか」

〝天使〟がささやく。

「実はおれも、そいつを気に病んでいるんだ……」

〝悪魔〟がうめく。

つかまったら死刑まちがいなしというワルにしては、珍しく弱気な様子だった。

「冗談が、ほんとうになっちまったのかなあ」

冗談というのは、こうである。

妻が妊娠九ヶ月にはいったころ、竜はあるＳＦの話をした。――こう見えても、彼はなかなかの読書家なのだ。

「悪魔をこの世に呼びよせるには、合せ鏡をするんだそうだ」

「おもしろそうね、鏡と鏡を、むかいあわせるの？」

「うん。ここに手鏡があるだろう。たとえばこれを……」

ちょうど寿々子は、鏡台にむかってお化粧中だった。

その背後で、竜は手鏡をとりあげ、鏡台にむけた。

まったくそんなつもりはなかったのだが、寿々子の身重な体は、鏡と鏡のあいだにはさまれる形となった。

その途端だった。

「あっ」

寿々子が、スツールからすべり落ちて、身をもんだ。

「どうした！」

おどろいた竜が、愛妻にとびついた。

「赤ちゃんが……生まれそう……」

そして、寿々子は救急車の中で、虎夫を生みおとしたのである。

「ほんの気まぐれだった……だが、あの瞬間おれの子どもは、寿々子の胎内で、悪魔にとってかわったんじゃあるまいか？」

「ばかばかしい……といいたいのですが、その気持はわかります」

良心の声も、しずんでいた。

「もしも……もしもだぞ……虎夫が、このまま育って、とほうもない悪党に成長するとしたら……おれは、どうすりゃいいんだ？」

〝悪〟の質問に、〝善〟も答えるすべがなかった。

そして虎夫は、長ずるにつれて小悪魔の片鱗《へんりん》を見せはじめたのである。

猫をとらえて、爪やひげを切るくらいは、朝めし前だ。

幼稚園の保母に叱られたのを根にもって、彼女が通勤に使っている自転車のブレーキをこわしたらしい。

下り坂を暴走した保母は、トラックにはねられて片足を失った。

三日前、公園のベンチで、住所不定の男四人が殺虫剤入りのウイスキーを飲んで死亡したのも、虎夫の仕業としか思えなかった。

ついに、竜は、断を下した。

「あいつを始末する」

「それは、無茶です」

良心が反対した。

「じゃあどうしろというんだ？　このまま、見て見ぬふりをしろというのか」

「さあ、それは……」

「いまなら、寿々子も気づいていない……サツも、幼稚園も。だが、罪には罰が必要だ。いつもおれにお説教するのは、てめえだぜ」

「はい」

「だからといって、自首させるのか……虎夫はまだ五つだぞ。マスコミがおしかける、新聞にテレビに幼児Aと出る、たとえアルファベットでも、知ってる者が見りゃ、虎夫のこととわかる。あいつの一生は、めちゃめちゃだ」

「……」

「さらに追い討ちがかかる。そんな悪魔を育てた親は、どこのどいつだ。コンサルタントの仮面がひんむかれる。子が子なら、親も親だ！　マスコミあげて、おれたちを罵倒するだろう。おれはまあいい。年貢のおさめどきとあきらめよう……だが、女房や子どもを、そんなむごい目にあわせるのはいやだ！　それくらいなら、奴をこの手で」

〝悪魔〟がポロポロ涙をこぼしているのに気づいて、〝天使〟も折れた。

「仕方がない……それが、けっきょくのところ慈悲かもしれませんね」

「そうか、わかってくれたか」

〝悪〟が感きわまった声を、しぼった。

自問自答だから、やくざ映画みたいに、がっしと互いの手をにぎりあうことはできないが、それに近い感情がうねった。

「むろん、できるだけ苦しまないように……」

「いうまでもないさ」

竜は、用意しておいた毒薬を、カプセルに詰めた。

プロの殺し屋である彼は、銃やナイフのほか、各種の毒薬のコレクターでもあった。

(これなら、カプセルがとけた瞬間、電撃的に死ぬ。解剖しても、心筋梗塞としか見えないはずだ)

もはや、良心の声は答えようとしなかった。

わが子の処刑は、決定されたのだ。

――その日一日、竜はビジネスをすべてキャンセルして、遊園地で息子と遊んでやった。

いくら悪魔の申し子でも、子どもは子どもだ。無邪気にきゃっきゃとはね回って、竜の悲しみをつのらせた。

そんな夫の様子が不審だったとみえ、寿々子がそっとたずねた。

「顔色がわるいわよ……熱でもあるんじゃなくて」

「心配いらない」

と、竜はむりに笑ってみせた。すべては、おれの胸ひとつにおさめて、虎夫を葬るのだ。

「でしたら、お仕事がうまくゆかないのかしら……今日だって、のこらずおりたんでしょう」

「お前は、そんなことを考えなくて、いいんだ」

雄々しい夫は、童女のような妻の肩を抱いた。

「さ、なにもかも忘れて遊ぼうや」

日が落ちかかると、さすがに虎夫も遊び疲れたとみえ、父親の坐っているベンチへもどってきた。

「ママはどうした?」

「おトイレだって」

ちょこなんととなりに坐った幼児は、両足をかわりばんこにぶらぶらさせた。

「おなか、すいた」

「これ、食べるか」

竜が、紙袋を見せた。

ふわふわした蒸パンがはいっている。竜は子どものころ大好物だったのだが、いまの子どもには、ダサく映るのだろう。虎夫は、首をふった。

「いらない」

「じゃあ、これは」

　プラスチックケースにはいった、色とりどりの小さなチョコレートだ。

　虎夫は、目をかがやかせた。

「ほしい」

「お食べ」

　……という声が、かすかにふるえた。

　その中に、毒入りが一個まじっていた。……竜が毒をつめたカプセルは、虎夫がお気に入りのチョコに似せて、こしらえてあったのだ。

　容器は小さく、チョコは二十個しかはいっていなかった。

　好物のチョコだ、家へ帰るまでに虎夫はひとつのこらず平らげるにちがいない……。

「パパは、食べないの」

「おれはいらん」

　辛そうに、竜が答えた。

　保母や名もないモブの命はなんとも思わない虎夫だが、両親をしたう気持に変りないのだ。

（こいつの心にも、おれとおなじように、天使と悪魔が同居しているんだ……）

　虎夫が、ケースの蓋をあけている。

中からいくつか、チョコを手のひらにこぼした。

「おいしいのになあ。パパも、お食べよ」

「ほんとうに、いいんだ」

虎夫が一粒、口へ運んだ。

「ん？」

父親を見上げる幼児に、竜はあわてた。

「なんでもない」

自分でも知らぬ間に、食い入るような目つきで、虎夫の口元をにらんでいたことに気がついた。

「なんでもない……ちょっと、水をのんでくる」

あたふたと、彼は立ち上がった。

殺し屋稼業十余年、今日ほど辛く——苦しい殺しをやったことがない。

まごまごすれば、大声で叫び出しそうだった。

「食べるな！　毒がはいってるぞ！」

そんなことになったら、ぶちこわしだ。

竜は、ズボンのポケットにつっこんだ手で、自分の太ももに爪を立てながら歩いた。

……数分後、ベンチへもどってきたとき、ケースの中味は半分にへっていた。

「お帰り」

それでもまだ、虎夫はにこにこしていた。

のこりの半分に、毒が入っているんだな……。

息子が元気でいたことに、理屈に合わない安堵《あんど》をおぼえながら、竜は紙袋から出した蒸パンを、ひと口がぶりとやった。

口の中で、なにかが割れた。

（ん？　このパン、なにがはいっていたんだ？）

不審に思ったのも束《つか》の間《ま》、竜は暴風のような心臓発作に見舞われた。

「パパ！　パパ！」

愛する息子の声も、もう届かない。

一代の殺し屋、夏木竜は死んだ。

ある会話　2

「知ーラナイー　ボク、知ーラナイット」

「ヒドイヨ、ヒドイヨ。ボク、ソンナツモリジャナカッタノニ」

「ツモリガアッテモナクテモ、ぱぱ殺シタノハ、オ前ダゾ」

「ダッテ……ダッテ、ボク、ぱぱニモチョコレート、食べサセテアゲタカッタンダ」

「デモ、ソノチョコニ、毒ガハイッテタンダゾ。デナカッタラ、ぱぱガコロリト死ヌモンカ」

「ぱんノ中へオシコンデオケバ、ぱぱウッカリシテ食べチャウヨ。ソウイッタノ、キミジャナイカ」

「アア、ソウダヨ。デモ、ホントニオシコンダノハ、キミダモンネ。……助カッタナ。ドウモ、アノトキノぱぱノ顔ガオカシイト思ッタンダ」

「ドウイウコト」

「チェッ、トボケテラア。ぱぱハネ、キットボクヲ殺スツモリデイタンダ」

「ソンナコトッテ、アル？」

「アルカラ、毒ガハイッテイタンダヨ。デモアブナカッタ！　イクラナンデモ、ぱぱガボクヲ殺ソウトシタナンテ。キミガ、チョコレート食べラレナクテ、ぱぱ可哀想！　トイイダシタカラ、命拾イシタンダゼ」

「ボク……ボク……ぱぱノタメヲ思ッテヤッタノニ……ソレデ、ぱぱガ死ンジャウナンテ……」

「メソメソスンナヨ！　コレデ、オタガイニ世ノ中ノコト、ヨークワカッタダロウ。タトエぱぱデモ、油断シチャイケナイッテ」

「アア、ボク、モウ世ノ中マックラ」

「バカイッテラ。マスマスオモシロクナリソウダ。ボクノ人生ハ、マダコレカラハジマルンダモンネ！」

寿々子――29歳の場合

経営コンサルタント夏木竜氏の葬儀は、しめやかに行われた。

一応形の上では変死であり、その死の唐突な姿に、服毒の疑いもあったため、監察医による解剖を受けたが、結論としては心筋梗塞が死因と判明した。

弔問客は、ひきもきらなかった。

若いコンサルタントの死だというのに、一流会社からの花輪がズラリと並んで、近所の人を感心させた。

きりりと喪服を着こんだ寿々子の、涙をかくした健気《けなげ》な姿が、目についた。

夫の生前は、あれほど子どもっぽかった彼女が、わずか数日で見ちがえるほどたくましくなっていた。

これからは、妻としてではなく、母として生きねばならない。

その決意が、寿々子を精神的に成長させたにちがいなかった。

それでも、さすがに顔なじみの取引先が弔問にあらわれると、涙声になりがちだった。

「いまから思えば、虫の知らせだったんですわ……仕事をキャンセルしてまで、私や虎夫と遊んでくれたんですもの」

ときおり、目頭をハンカチで押えた。

「顔色がわるいと私が申しましても、平気だ、心配するなって……あのとき、むりにも病院に連れてゆけばよかった!」

大学時代の友人が三人あらわれたときには心安だてに、彼女もあたりかまわず泣くことができた。

「ほんとうに、やさしい人だったの……はたらき者で、家庭的で、虫も殺さない主人でしたわ」

「これから、どうやって暮らすつもり?」

友人のひとり、柏露子《かしわつゆこ》——通称ロコがソバカスだらけの顔で、たずねた。

「ご主人がいなくなれば、この家だって出なくちゃならないんでしょう」

「あら、それは大丈夫よ」

と、寿々子は首をふった。涙が散って、宙にきらめいて消えた。

「土地も建物も、主人のものだったから……預金だって、びっくりするほどのこしてあったの」

「へえ……大したもんだね」

やはり友人のひとりで、長尾《ながお》という若者が、わざとらしく目をみはるのを、ロコは複雑な表情で見た……大学のころから、とかく寿々子と噂のあった男である。その視線に気づいたように、寿々子が大声をあげた。

「だけど、そんなものいらない……私は、主人さえ生きてくれれば、なんにもいらなかったのに！」

彼女は、体をまるめて、その場に突っ伏した。

もうひとりの友人、宇佐美耶名子《うさみやなこ》とロコが貰《もら》い泣きするそばで、おさない虎夫は、おろおろと母親の背をなでるばかりだった……。

ある会話　3

「もしかして……ねえ、そう思わない、あなた」

「思ったって、仕方ないじゃないの。竜はとっくに死んじゃったのよ」

「だから、それが自殺だとしたら……」

「くだらないわね。医者が太鼓判押したじゃありませんか。発作だって」

「でも……死んだあと、彼のへやからおそろしい道具や毒が、いっぱい出てきたじゃない」

「ああ、あれ？」

「あれって、よくあなた平気でいられるわね！　コンサルタントだなんてふれこみで、竜は、かげでなにをしてたかわからないのよ！」

「ふん。その稼ぎで食べてたくせに、いまさらガタガタしたって、追っつかないわよ……人目にふれて困るものは、のこらず庭に埋めたから大丈夫」

「だって、もし竜が、医者にもわからないような毒を使って、死んだとしたら……」

「ねえ、良心さん。あんたなにがいいたいのよ」

「死んだ理由は、私の浮気に気づいたから……そう思いません？」

「どっちだっていいでしょ」

「そんな、無責任な！」

「勝手にひとりで死ぬ方が、よっぽど無責任よ。のこされた虎夫の面倒をみるのは私ですもんね。現実を直視しなくては……過ぎたことを、クヨクヨしたって、はじまらないでしょ！」

「おそろしい……あなたって人……まるで、悪魔」

「ふん。そういうあなただって、つまり私の一部分なのよ」

寿々子——31歳の場合

「パパ！」

今年七つになった虎夫が呼ばわる。

「なんだ」

縁先に立った長尾が答える。

「みみずがいたよ」

「そんなもの、ちょん切っちまえ」

「パパも子どものころ、よくやったのかい」

「ああ、やったな。うちが田舎だったからな……おもしろがって、フナの尾ヒレを切ったり、馬の尻尾をむすんだりしたもんだ」

「うわあ、すごいや」

「死んだパパは、どうだった」

「だめだよ、あのパパは……とっても弱虫だったから」

親と子の会話が、庭ではじける。

座敷で洗濯ものをたたみながら、寿々子は微笑した。

やはり、血を分けた父と子だ……なんの説明もしないのに、虎夫はすんなり、長尾との再婚を受け入れた。

家があり、金があり、夫と息子がいる。

塀の上にひろがる青空を見やって、寿々子はもう一度、しあわせをかみしめるようにほほえんだ。


人間には、二種類ある。

いばる奴、いばられる奴。

だます奴、だまされる奴。

——そして、勝つ奴、負ける奴。

そうそう、忘れていた。

もうひとつの分け方、それは——

男と、女。

第八話　ボーナス・ウォーズ

－1

野呂参太郎《のろさんたろう》が伝票を持って、レジに立つあいだに、宇佐美耶名子はさっさと階段をのぼって表へ出た。

チューハイ二杯の酔いで顔を赤くするほど初心《うぶ》ではないが、さすがに外気が心地よい。

腕時計を見た。

時間は、九時四十分……了介《りょうすけ》が残業をおえて、いつものホテルにむかっている時間だ。

耶名子を追って、あたふたと階段をあがってきた参太郎に、彼女はつめたくいいはなった。

「じゃ、私はこれで」

「え？」

人のいい参太郎だが、さすがにきょとんとしている。

第一ラウンド、喫茶店。

第二ラウンド、ビストロ。

第三ラウンド、カフェバー。

と、来れば、だれだって彼女との仲は核心に近づいていると期待するだろう。

いや、万事テンポののろい参太郎だから、つぎのラウンドはせいぜいディスコというところか。

それにしても、内心は大いなる期待に、胸ふくらませていたにちがいない。

その期待を、モグラたたきの名人がトンカチをふり回したみたいに、あっさりたたきつぶして、耶名子は美しくほほえんだ。

「ごめんなさい……このあと、先約があるの。ご馳走さま！」

さっさと背を向けた。参太郎は二の句を継ぐひまもない。

だが、彼は慣れきっていた。

いつもこうなのだ。おれは運がわるいんだ。

ほんの三センチばかり、肩をすくめる動きを見せただけで、あきらめた。

――実際、彼の運のわるさったら、なかった。

大学進学のときから、そうだ。例年なら、らくらく彼の成績で合格できたはずの受験日に、猛烈な下痢《げり》をした。ペンをもつ手にさえ力がはいらず、参太郎はあえなく敗退した。

就職のとき、入社を熱望していた会社の面接で、緊張のあまり彼は、大音響のおならを発した。

やっとはいった広告会社では、志水《しみず》という部長がすぐ後ろにいるとも知らず、悪口をいって吊るし上げられた。そいつがいないときは、みんな彼に数倍する悪態をついているのに、彼だけが干されてしまった。

苦心のあげく話をまとめたクライアントが、倒産した。

清水《きよみず》の舞台から飛び下りたつもりで購入した新車が、当て逃げされた。

酔って立小便していたら、彼の足を電柱と間違えて、野良犬がおしっこした。大声で怒鳴ったら、おまわりさんが飛んできて、彼を軽犯罪法違反の容疑で逮捕した。

パチンコ店にはいれば、両どなりの台ばかり、ザラザラ玉が出る。

本命の馬券を買えば穴、穴を買えば本命がトップでゴールインする。

要するに、野呂参太郎は救いようのない、不幸な星の下に生まれた人物であった。

0

近ごろのＯＡ機器の発達は、目をみはるものがある。

人口の暴走に長らく追いつけなかった、天国庁運命局統轄部調整第一課で、参太郎に関する抜本的ミスが発見されたのも、天国時間で三ヶ月前、新鋭コンピューターが導入されたおかげだった。

「こら、あかん」

主任調整官が、ディスプレーをのぞいてうめいた。

「どえらい偏りや……とてもやないけど、いままでみたいな微調整では、追っつきまへんで」

「え、そんなにひどくズレていましたか」

若い調整官補が、近づいた。頭上にきらめく神の光輪は、まだ新品と見え、あざといほどきらきらとかがやいている。

「なるほど、こりゃひどい！」

調整官補が、思わず大声をあげた。

「少なくとも三人ぶんの不幸を背負っています」

「しっ。声が高いやないか！」

主任は、あわてて唇に指をあてた。うっすらとサビの浮いた光輪が、頭上でふらふらとたよりなく揺れる。

「課長に聞えたら、えらいこっちゃ」

「しかし……このまま、ほうっておくわけにゆかんでしょう」

と、むつかしい顔をつくる。こんなダメな上役のとばっちりで、出世コースをとざされたら大変だ。

「だから、そうっと修正しとくんや……それもできるだけ、みじかい時間に！」

「みじかい時間て、まさかひと月くらいのあいだに？」

「そないのんきなこと、してられへん。人間の時間で、せいぜい十時間」

「十時間！　冗談じゃない……この人物は、過去二十年にわたって、悪運の星に支配されていたんです。平均的レベルにもどすには、十倍のペースで幸運を配給したって、二年かかるんですよ！」

「そない固いこといわんでもええがな……わいらかて、もうすぐボーナスシーズンや」

「ボーナス……そうでしたな」

若い神も、さすがにシュンとなった。

「ここでわいらのミスがばれてみい。ガクーンと査定が下がりよるで」

「うーん。たしかに」

「そやろ? だからこの際、多少の不自然さは目ェつぶって……ほれほれ、よけいなくちばしはさんでる間に、野呂参太郎、またまたどえらい目に遭っとるやないか!」

1

そのとき参太郎は、山手線の電車に揺られていた。

いつものくせで、網棚にカバンをほうりあげ、吊革につかまって、ごひいきの夕刊サンをひろげている。見出しを毒々しい、赤と青の色彩で刷りこんだ、天下にかくれもない三流新聞だが、参太郎は、自分も三流サラリーマンと思っているから、買うのも読むのも、まったく抵抗がない。

珍しく、彼の前の席があいた。

(実に珍しいな……)

参太郎自身、びっくりしたくらいだ。

(おれが電車の中で坐れるのは、なん年ぶりだろう)

信じられない話だが、どういうめぐり合せか、彼の手の届く範囲で、席のあいたためしがなかったのだ。

あまり久しぶりなので、坐るのがこわいほどだった。うっかり腰を下ろすと、シートからバネが飛び出して、お尻をつつくのではないか――とさえ思った。ちなみに参太郎は、小学生以来持病の痔《じ》になやまされている。

おそるおそる坐ってみると、さしたるショックもなく、快適だった。

（やっぱり、坐って通勤するのは、ラクだなあ）

いい気持で、目をつぶった。

忘れっぽい参太郎は、一瞬網棚のカバンの存在を、念頭から消した。

ふたたびそれを思い出したのは、乗換駅の池袋《いけぶくろ》で、名残り惜しく席から立ち上がったときだ。

（しまった！　今日はおれ、カバンの中にボーナスを入れていたんだ！）

背中を、冷汗がチリチリと流れ落ちた――だが、ありがたいことに、カバンは無事そこにあった。

後生大事に、カバンを両腕でかかえた参太郎は、群衆の流れに沿って、ゆっくりと移動を開始した。

……一般的にいって、いまはサラリーもボーナスも、銀行振込のケースが、大部分である。

だが、参太郎がつとめている会社の社長は、その趨勢《すうせい》に反対だった。

「金がはいった袋を、おしいただいてもらう……そのときの手ざわりで、万札がなん枚はいっているか、本能的に感知する。あの醍醐味《だいごみ》こそ、サラリーマンの生き甲斐ではないか。わしは、きみたちから最上の娯楽をとりあげるに忍びん」

そういって、ボーナスにかぎり、現金支給ときめたのである。

口さがないOL《オーエル》雀にいわせれば、

「銀行に払う、振込手数料がもったいないのよ」

だそうだが、おかげで経理の女の子たちは、徹夜で袋詰めさせられた。

その大事な大事なボーナスが、カバンにほうりこんであったのだ。たかだか三十五万なにがしでも、出世に無縁の参太郎にとって、大金である。

東武東上線に乗り換えた彼は、もう一度カバンの中をのぞき、ボーナスの紙幣をかぞえたい——という誘惑にかられたが、満員電車の中ではさすがに憚《はばか》られた。

下宿は、急行で五駅先の下博多《しもはかた》にある。といっても、その駅から自転車を漕《こ》いでおよそ二十分の、ベッドタウンとして秘境に属する場所だ。

駅前に大団地があるので、下博多で下りる人は多い。

もみくちゃにされながら、駅前広場に出た参太郎は、緑地のかげでそっとカバンをひらいてみた。

それでやっと、気がついた。

このカバンは——

（おれのじゃない！）

よく似ているが、チャックをあける感覚が、微妙にズレていた。

だが、それにしては——

（たしかにおれが、乗せた場所にあった。さもなければ、とりちがえるはずがないんだ！）

するとだれかが、故意に参太郎のカバンと、すり替えたのだろうか。ボーナスがはいっていることを知って……そんな、バカな。

「そんなバカな」

いくら人のいい参太郎でも、虎の子をさらわれては、憤慨する。

それにしても、すり替えられたこのカバンは、決して空ではない。むしろ、その気になって持ってみると、彼が会社に提げていたときより、重くなっていた。

いったいなにがはいっているんだろう……好奇心にかられた参太郎は、あらためてカバンをのぞきこんだ。

洗面道具一式。

電気カミソリ。

ビニール袋に突っこまれた、ぬれタオル。

(ちぇ……このカバンの持主、サウナから出てきたばかりかな)

それにしても、まだ重すぎる。

一見、底としか見えなかった部分が、さわってみると奇妙にデコボコしていた。なにか、この下にかくしてあるみたいだ。

思い切ってそれをひっぺがすと、またもやビニール袋があらわれた。だが、この袋にはいっているのは、タオルではなかった。

白い、チョークのような粉が、びっしり詰まっていた。

(麻薬かな)

麻薬?

マヤクだってえ!

自分で思いついたくせに、参太郎は飛び上がりそうになった。

ちょ、ちょ……ちょっと待ってよ。

これがのこらず麻薬だとしたら、価格はおそらくなん十億の代物だろう。

なぜそれが、このカバンに……考えようとしても、考えるまでもない、自明の理であることに、思いあたった。

このカバンは、麻薬の運び人が持っていたのだ……。

警察か、あるいはライバルにマークされ、持っているのが危険になった……。

たまたま、そっくりのカバンが網棚に乗せられていた……。

そこで運び人は大バクチを打って、カバンをすり替える……。

となると、麻薬を追っていたなに者かは、いそぎ参太郎を尾行する……。

（えっ、おれを？）

泡食った彼、いそいであたりを見回した。

すでに日はとっぷりと暮れていたが、広場はまだ、つとめ帰りのサラリーマンや、夫を迎える若妻、孫をあやしている老夫婦などでごったがえしている。

参太郎の視線の掃射に、それとなく目をそらした者も、ひとりやふたりではなかったが……。

そのうちのだれが、本当に彼をつけてきたのか、とうていわかりっこない。

だがこのとき、参太郎の視野に飛びこんだのは、広場の外れに立っている交番だ。

なにはともあれ、あそこへ行こう！

参太郎は、カバンをつかんで、歩きだした。

もし麻薬を追っていたのが警察なら、密輸仲間の疑いを受ける前に、届け出た方が利口だし、ボーナス入りのカバンの行方も、探してもらう必要があった。

急ぎ足に交番へはいる。

初老のおまわりさんが、眠そうな顔で立ち上がった。

「なにか？」

「あの……実は、このカバンなんですが……」

「カバン？」

「はあ。中に、妙なものがはいっていたんです」

「妙なものって、あんたのカバンじゃないの」

「いえ、それがですね」

くだくだ説明していても、はじまらない。ブツを直接見せるにかぎる。そう思った参太郎は、チャックをあけようとして、手をすべらせた。

「失礼」

しゃがんで、床に落としたカバンを拾う。

立とうとしてひょいと見たら、目の前にくなくなと、おまわりさんの体が崩れ落ちた。

「？」

どうしたんだ、この人。急病かな。

抱き起こそうとして、ひょいと見たら、胸に赤い血だまりができていた。

それが、消音銃の弾丸の射入孔であることに思いあたったのは、なん分かあとのことだ。

そのときは、理解より行動が先行した。

横っ飛びに、机のかげにかくれる。ふしぎなくらい、恐怖は感じない。感じないというより、そのひまがなかった。

もはやこうなると、麻薬を追っていたのが、警察ということは、あり得ない。暴力団、それもマフィアクラスの、荒っぽい奴らが尾行してきたのだ！

間一髪、参太郎がカバンを拾おうとしゃがんだからいいが、さもなければ背中から一発、口径なんミリかの死神をお見舞いされていた……。

2

くそ落ち着きに落ち着いた足どりで、黒服の男がはいってきた。

彼は敬虔《けいけん》な手つきで、倒れているおまわりさんにむかって十字を切り、それから、通行人の死角にはいるよう、邪慳《じゃけん》に足を使ってへやのすみへ押しこんだ。

その有様を、しゃがんだきりの参太郎が、呆然とながめている。

黒服の男は、こっちを向いてにやりと笑った。新月みたいに、上下の唇がうすくひらき、歯が光った。

「よこせ」

左手をさしのべる。

右手は体のかげで見えないが、むろん銃をつかんでいるにちがいない。

「な、なにをでしょう」

「とぼけるなよ。そのカバンだ」

「カバン？」

いわれて参太郎は、びっくりした。われながら呆れたのは、問題のカバンを、両腕でヒシとかかえていたことだ。

「でも、これは……ボーナスです」

「ごまかしてもダメだ」

黒服はつめたい。

「さっき、中を見てやがったくせに。まあいい、そんなに始末されたいのなら」

銃がニューという感じで、参太郎の目の前に突き出された。

そのとたん、黒服のすぐそばに置かれていた電話が、けたたましく鳴りだした。

だしぬけのことだから、度胸のすわった黒服の殺し屋も、ぎょっとしたにちがいない。

同時に、参太郎の手が動いて、キャスターつきの椅子が、床をすべった。

「うむっ」

手入れのゆき届いている床らしく、椅子はひと思いに滑走して、黒服に激突しようとした。

「なんの」

その椅子をあざやかにかわしたのはよかったが、足下におまわりさんが転がっていたことは、計算外だったとみえる。

黒服がどっと倒れるのと、参太郎が交番を飛び出すのがいっしょだ。

カバンをかかえて、参太郎は死にものぐるいで走った。

どこへ？

下宿へ――

ばかばか、そんなところへ帰ってなんになる。いくら下宿のおばさんが、小錦《こにしき》みたいに馬力があっても、殺し屋相手のガードマンはたのめない。

それよりも、そうだ駅だ！

群衆にまざれば、奴だっておいそれと手を出すまい。そのあいだに、一一〇番してもらおう。

下博多は橋上駅なので、彼は一度に二段ずつ飛び上がって、改札口へかけよった。

生意気そうな顔の駅員が、機先を制するように、参太郎をにらんだ。

「お客さん！　いそぐのは危険だよ。ここは、飛び降り飛び乗り禁止モデル駅なんだから」

「それどころじゃない」

と、参太郎はあえいだ。

「電話は、どこ」

「階段を下りて、右へ百メートル」

「百メートルじゃない、一一〇番したいんだ！」

「一一〇番？　それなら広場へ出て左に二百メートル」

「そ、そんなに、電話は遠いのか！」

「電話してるより早いだろ……交番があるもの」

したり顔の駅員を、参太郎は怒鳴りつけた。

「その交番が、ダメなんだ！」

「え？　定休日だったっけ」

なんという間抜けな駅員だろう……だが参太郎は、腹を立てる時間がなかった。

足音を聞きつけて、横目で見ると——あの黒服が、これまた一気に三段ずつかけあがってくる！

追手の足の長さに感嘆したいところだったが、いいタイミングで、ホームに電車のすべりこむ姿が見えた。

「失礼！」

ひとことわめいて、参太郎は、ホームにむかって階段をかけ下りた。

「もしもし！　切符は！」

駅員が叫んだので、ふりむきもせず定期入れを投げつけてやった。

定期ならあとで拾える、だが命はあとで拾えない。

心臓がのどまでジャンプして、歯のあいだから大動脈がはみ出しそうになった。やっとの思いで、池袋ゆき電車におどりこむ。

ラッキーだ、間に合った！

ドアが閉じられる。

なん分の一秒かおくれて、黒服がホームにかけ下りてきた。

ドアの脇に立つ参太郎を、凄《すさ》まじい形相でにらみつける。

（やーい、ざま見ろ）

相好をくずしたものの、安心するのは二秒ほど早かった。

ドアに参太郎のズボンの裾が、はさまっていたのだ……それに気づいた車掌が、よせばいいのにもう一度ドアを開いた。

「わーっ」

参太郎が、恐怖の声をあげたので、乗客がいっせいに彼を見た。

夜にはいっての上り電車なので、車内はガラガラだ。

ごとん、と電車が動き出した。一両後ろに乗りこんだ黒服は、ぶきみな笑みを口辺に浮べて、こっちの車両へ歩いてくる……。

カバンを抱いて、参太郎は足が釘づけになっていた。

逃げなきゃあ……早く……早く……早く！

だが、だらしないことに、彼は一歩も動けない。

黒服が、貫通路の戸に手をかける姿が、見えた。

ゴトゴトと、戸がゆれる。

だが、なぜか戸は開かない。無念げに、黒服が参太郎をにらみつけた。

よく見ると、その戸に「故障中」の貼り紙があった。

貫通路がイカれている！

この電車は、たしか特急のはず……池袋までノンストップだ。つまり、殺し屋は、終着駅まで参太郎をどうすることもできないのだ！

彼は、幸運を神に感謝した。

0

「ハックショーイ」

主任が、盛大にくしゃみをした。

「こら、あかん。カゼひいたかな」

「人間が、主任のことを話題にしたからですよ」

調整官補が、浮かない顔でいった。

「それにしても、話がうますぎますね……ラッキーつづきでは、監査のときに細工がバレやせんですか」

「そやから、適当に不幸のスパイスもまぜとるんやないか……わいの苦心が、わからんかいな！」

3

ごとん……ごとごと。

電車のスピードが落ちた。

ついに、止まった。

このあたりは住宅開発のエアポケットになっていて、いまでも大根畑がひろがっている。

いまの時間だと、まっくらである。

座席を三割方埋めた程度の乗客が、不安げに窓の外を見た。

しばらくして、天井のスピーカーから、車掌の声が降ってきた。

「まことに申しわけございません……この列車は、車両故障のため打ち切りとなります。池袋方面へおいでのお客さまは、五十メートルほどお歩きください……乗りかえの列車が、次の駅で待機しております」

げぇ。

参太郎は、いまにも腰をぬかしそうになった。

貫通路のドア越しに、自分をにらむ黒服の視線が、服に焼け焦げをのこしそうだ。

彼は、必死になって、列車の前部へ移動をはじめた。

特急は十両連結、そしてここは三号車だからあと七両ぶん、前進できる。

突進した参太郎が、最前部十号車に着いたとき、車両のすべてのドアが開いた。

ひと思いに、線路際の砂利へ飛び下りた参太郎は、駅にむかう乗客をよそに、くらい畑地めがけて走りだした。

煌々《こうこう》と灯のついた駅では逃げようがないが、大根畑と、それにつづく雑木林のかくれんぼなら、奴をまくことができるかもしれない……。

が、その観測はあまかった。

ふりかえると、上背のある男のシルエットが見えた。

（くそっ）

バス道がレールに並行して、東側を走っているはずだ。参太郎は、夢中でその方角へ足をいそがせた。

雑木林をぬけると、分譲中の造成地がひろがった。しまい忘れたのか、不動産屋ののぼりがモデルルームの前で夜風にはためき、ひとつだけ立っている電話ボックスに、明りがともっていた。

（一一〇番を！）

ボックスに飛びついた参太郎は、小銭入れをとりだして、あっと叫んだ。

「十円がない！」

その中にはいっていたのは、五十円、百円、五百円玉ばかり……だが、この電話ボックスは、十円専用であった。

「十円！　十円！　十円！」

とうとう参太郎は、べそをかきはじめた。

古いことわざに、

「一円を笑う者は一円に泣く」

というのがあるが、さすがに近ごろは十倍の円高だ。

子どもみたいに参太郎が、地団駄ふんでいると、どこかでチャリンという音がひびいた。

「あっ」

もう一度床を見る。ありがたや、そこに十円が落ちていた！

0

「主任……そりゃムリですよ。都合がよすぎます」

「そんなことあらへん……参太郎は、裾に折り返しのついたズボンをはいとる。そのあいだに、十円玉が落っこちとったんや。文句ないやろ」

「はあ……それにしても……」

4

捨てる神あれば、拾う神あり。

参太郎は、神にもひとしい貴重な十円玉を電話機のスリットにいれた。

「……」

なぜか、受話器はウンともスンともいってくれない。

故障だろうか。

フックを下ろし、もう一度十円玉を入れ直す。

それでも結果はおなじだ。

はっとあることに思いあたった参太郎は、ボックスの戸をあけて、屋根を仰いだ。

そこには、電話線のデの字も引かれていなかった！

O

「こ、こら。わいにことわりなしに、なんちゅう修正をするんや！」

「だって主任。人ひとり住んでいない造成地に、電話ボックスがあるなんて、みえすいてますよ……絶対、矛盾を摘発されます」

「だから、それは客寄せのために……」

「客寄せなんだから、ほんとうに電話がかけられなくってもいいんですよ。水道が来てないくせに、共同水栓だけ地面に植える。あの手口です」

「あ、あ、あ……いらんことするから、参太郎が、殺し屋にみつかってしもうたやないか！」

5

明りのついたボックスを、ちょろちょろと出入りしたのがわるかった。

長い足を飛ばして、黒服の殺し屋が、あっという間に到着した！

「手間をかけさせたな……逃げても、無駄だ。省エネの時代に、逆行するんじゃない」

黒服に叱咤されたが、こればかりは素直に聞くわけにゆかない。

「来るな！　こっちへ、来るな！」

手当り次第に、石だの砂利だの赤土だのを投げつけたが、相手はプロだ。眉ひとつ動かさず、肉迫してくる。

カバンを抱きしめ、参太郎は逃げまどったが、黒服は着実な足どりで、彼を追いつめていった。

一発必中で仕止めようというのだ……雲が割れ、月がのぞくと、男の口が新月のように曲って光った。

いまや参太郎が逃げる道は、ぽつんと一軒建っているモデルハウスだけであった。

玄関へ飛びつき、力まかせにドアをあける。

当然鍵がかかっていると思ったのに、ふしぎなほどあっさりとドアが開いた。

土間へはいった参太郎は、そこにならんでいた靴につまずきそうになった。

靴は二足、男ものと女ものだ。

なぜそこに靴があるのか、深く考える余裕がなく、参太郎は土足でモデルハウスへあがりこんでいる。

手にふれたドアのノブを引く。

どうやらそこは、ベッドルームであるらしい。

とたんに、

「きゃっ」

「な、なんだッ」

女と男の声があがった。

なんだとはなんだ……空っぽのはずのモデルハウスに、なぜカップルがいるのだろう。

それも、ベッドルームに！

窓ごしにさしこむ月の光を浴びて、女が叫んだ。

「まあ、野呂さん！」

「ええっ」

カップルをすかし見た野呂が、これまたおどろきの叫びをあげた。

「宇佐美さん！　き……きみは長良《ながら》了介！」

「どうなってるんです、主任さん。ここにふたりがあらわれるなんて……」

「むろん、ふたりがホテル代りに使っとったんや。夜になれば見咎める者もあらへん。参太郎に勘定もたすほど、セコイ宇佐美耶名子やさかい、いつものホテルいうのんは、このモデルハウスやった」

「へーっ……するとこれも、参太郎をラッキーにさせるための？」

「そや。重大な伏線や」

0
6

参太郎たちは、それ以上の会話をつづけることができなかった。

バーン！

ドアが蹴飛ばされ、そこにうっそりと銃をかまえて立ったのは、黒服の殺し屋であった。

「ほう……人数がふえたか。まあいい、三人とも覚悟するんだな」

銃が突き出された。

「ひぃッ」

金切り声でふるえ出したのは、二枚目長良了介だ。

「命ばかりは……たのむ、おれだけでも、助けてくれ！」

床にひざまずいて、手を合わせた……

「わかった！　この姿を見せて、彼女に了介を思い切らせようというんですね？」

「あかんなあ。まだまだ、あんさんは若い。まあ、つづきを見てなはれ」

「あきらめな」

黒服はせせら笑った。

引金をひいた。

凄まじい爆発音が起こった。

倒れていたのは――黒服であった。

「ちょっと待って下さい、主任！　なぜ、殺し屋が死んだんです？」

「そこが彼のラッキーなとこや。さっきピストルにむかって投げた赤土が、銃口にスポンとはまりよった」

「え？」

「当然、銃は爆発しよるわな。どや、みごと逆転の幸運やろ」

なにがなんだかわからないが、とにかく助かったらしい……参太郎は、その場にどっと膝を落とした。

その耳にひびくのは、気絶した恋人をゆさぶって、宇佐美耶名子の叫ぶ声であった。

「了介さん、しっかりして……了介さん！」

（なんだ、そうか）

と、心中に彼はつぶやいていた。

（宇佐美さんは、長良が好きだったのか……おれは……おれは、失恋したんだ！）

0

「待って下さい！」

「又かいな。うるさい奴《やつ》ちゃなア」

「しかし、しかし、これでは参太郎はふられたままです」

「そや」

「そやったって……それじゃ不幸ですよ。やっぱり彼は！」

「アホ」

「は？」

「こないえげつない女とむすばれて、参太郎が幸福になると思うか？」

「……」

「いさぎよう彼女をあきらめてこそ、参太郎はラッキーなんや！　そやろ……主人公と女がむすばれて、めでたしめでたしちゅうのは、程度のひくいドラマの世界や。……離婚時代の日本やで。現実を直視せな、神はつとまらん！　ほれ、ぼけっとせんで、ボーナスがはいったカバン、彼の手にもどす算段せなあかんで。……それでもって、修正作業はおわりや。もたもたしとると、わいらのボーナスに差支《さしつか》えるやないか！　はよせい、はよせい」

　サビの浮いた光輪がゆれて、主任調整官は、若い――人生を知らない後輩を叱咤するのであった。

　下界からは、失恋の苦しさにもだえる参太郎が、

「神も仏もあるもんか！」

　泣いている声が、かすかに流れてくるのだが。

第九話　死ルバー死ート

まず……

まず、最初からつまずいた。

いや、仕事の注文はちゃんとあったのだ。それも法外な値段を、先方からつけてきた。その代り恐ろしく権柄《けんぺい》ずくなものいいだった。

「YKか」

もしもし、ともいってくれない。それにYKではファスナーの会社みたいじゃないか。よっぽど、「うちはYKじゃありません。YK便利社です」といってやろうかと思ったが、開店第一日から顧客の機嫌をそこなうのは、得策でないと考え直して、川上俊一《かわかみしゅんいち》はおとなしく答えた。

「さようでございます」

「すぐ来てくれ。男がいい。なるべくなら、若い……二十六、七歳にしてくれ。顔も少しはマシな奴を」

勝手なことをいっている。さいわい俊一は二十六歳だった。容貌にもそこそこの自信がある。ご注文通りだ。

「かしこまりました。それで、どのようなお仕事でしょうか」

「来ればわかる」

「しかし……業務の内容によりましては、道具や器械類を持参しなくてはなりませんので」

「そんなものはいらん。身ひとつで来れば勤まる。……服装はいくらかフォーマルなものがいいだろう」

「さようでございますか」

俊一は胸算用した。相手のいう通り身ひとつで行って、もし足りないものがあったとしても、それを調達する時間まで契約にふくめれば、損することはない。便利屋は、原則として時間給なのだ。

便利屋。

そう、俊一と彼の恋人矢代秋子《やしろあきこ》が、近頃はやりの便利屋をはじめて、これが最初のお客さまだった。死ぬ思いで印刷費をはらい、死ぬ思いで新聞にはさんでバラまいたチラシの効果が、やっとあらわれたのだ。これで後三日も注文がなかったら、ふたりは本気で死ぬ羽目になったろう。

俊一と秋子は、この夏、信濃《しなの》のペンションのアルバイトで知りあって、たちまち同棲《どうせい》してしまった。それぞれの田舎の家では、家業をつがせるとか、嫁にやるとか、親なりの目論見《もくろみ》があったようで、ふたりの結びつきに猛反対した。

おかげで、それまでは細々とあった仕送りが、どちらも仲良く跡絶《とだ》えたので、なにか仕事をしなくてはならない。

といって、お互いろくな大学を出ていないので、ろくな仕事にありつけない。俊一も秋子も心身ともに丈夫で、器用だったから、この際はやりの便利屋稼業をオープンすることにしたのだ。

チラシに仕事の内容を書き出して、正直なところ、俊一はびっくりした。世の中にこんなに人手のいる仕事があったのかと、呆れるほどだった。

家庭教師。話し相手。遊び相手。引越手伝い。買物代行。配達。運転。運転助手。留守番。チケット購入。犬の散歩。老人介護。子守。モーニングコール。庭の手入れ。旅行計画と手配。手続き各種。電気関係一切。メカ関係すべて。家具組立。家具の配置替え。家屋の内外清掃。雨漏り修繕。ペンキ塗替え。カーテン取付け。取外し。不要品処分。浴槽修理。水栓修理。排水管修理。流し修理。建具交換。障子張替え。襖《ふすま》張替え。畳取替え。女房取替え。

……もっとも、最後の一項目は秋子の反対で、チラシからカットされた。

「ねえ、なにを張り切ってるのよ」

秋子がベッドの中から、甘い声を出した。毛布からはみ出た白い足が、昨夜の乱戦を思い出させて、むらむらときそうになった俊一は、あわてて首をふった。

「いい仕事なんだ。普通料金の三倍出すとさ」

「わあ、すてき！」

奇声をあげた秋子は、毛布を蹴立てて起き上がった。過激なまでにスッポンポンだが、金に欲情しているときは、風邪をひくひまもないらしい。

「それ、どんな仕事」

「わからないけどさ、三倍くれるんなら、たいていの仕事は引き合うさ！」

「がんばってね、俊ちゃん」

と、秋子の鼻声がボルテージをあげた。

「……でも、即金でもらってこないと、今夜の食事をするお金もないのよ」

「ぬかりはないさ」

俊一は頼もしく胸をたたいた。

「契約時間は午後四時までだ。帰りはスーパーへ寄って、脂ののったサンマを、二匹買ってきてやる」

「あら、お金がはいったからって、無駄遣いしないでね」

秋子は男好きのくせに、徹底してケチなのだ。おかげでいままでなん人かの彼を失っている。

「わかった、わかった……じゃあな」

林檎《りんご》色した秋子の頬にキスをのこして、俊一は、勇んで指定されたホテルのラウンジに出向いた。

クライアントはすぐにわかった。五十年配の腹がせり出し、額の後ずさった、典型的な重役タイプの紳士だった。志水といって、ある広告会社の部長らしい。

「ふん、きみか」

紳士は、注文の品に因縁をつけようとしてか、しばらくの間俊一の姿を、頭の上から足の先まで、つくづく見上げ――見下ろしてから、しぶしぶみたいに合格点を与えた。

「いいだろう。ところで、きみに頼みたい用件なんだが」

「はあ」

三倍の金を出す、というのだからろくな仕事ではなさそうだ。緊張した顔の俊一にむかって、志水は声を落とした。

「いいかね。もうしばらくするとこのラウンジに、私の妻が来る。場合によってはきみに失敬なことをいうかもしれん」

「はあ？」

俊一は目をパチクリした。まだ事情がわからない。

「失敬な、とおっしゃいますと」

「つまりだな、……」

いらだった志水が声を高めようとして、思いなおしたとみえ、体をのばして俊一の耳元でささやいた。

「私ときみがだな……」

「あぶない！」

とたんに俊一が絶叫した。いつの間にか志水の背後に忍び寄っていた、ふとっちょの中年女性が、隠し持っていた包丁を手に一気に突進してきたのである。

叫ぶのといっしょに、俊一は志水を突きとばそうとしたが、あいにく重量級の彼に比べて、俊一ははるかに軽い。べつにダイエットを心がけているのではない、このところ食料不足で身軽になっていたからだ。

突き飛ばすつもりが、あべこべにひょろひょろどすんと尻餅をついたのは、俊一の方だった。だが、なにがさいわいするかわからない。床にお尻を落とした俊一の足に、女性がもののみごとに蹴つまずいたのだ。

「わっ」

「おっ」

「きゃっ」

ガシャーン。

みっつの声とひとつの物音が、同時に発生した。

声は俊一と志水と女性の、それぞれの叫びだが、音は正面の姿見に女性の手から床を滑った包丁が、激突したためのものだ。

俊一はとんでもない思い違いをしていた——女性は、志水の背後に忍び寄ったのではない。鏡に映った彼女を実像とカン違いしたのであって、実際の女性はまぎれもなく俊一を狙って突撃を開始していたのだ。

「は、華枝《はなえ》！　お前かっ」

志水がわめくと、夫に負けずに肥満した妻は、身をもんで泣きだした。

「この人を、殺してやる！　殺してやる！」

この人というのが、自分のことだとわかって、俊一は全身に鳥肌をたてた。ラウンジの客は、総立ちだ。ひとり志水はおろおろとして、妻の手をとって立たせようとしていた。

「いったいなんなのよ。なぜ俊ちゃんが、殺されなきゃならないのよ！」

秋子は目を剝《む》いたが、両手はサンマの身をほぐすのに余念がない。

「つまり俺を、彼女の旦那の恋人と思ったのさ」

「恋人？」

さすがにサンマをむしる手を止めたが、すぐ事態を理解したらしい。

「ああ……同性愛の相手と思ったのか」

「ところが、本当はあの紳士は、ちゃんと若い女を囲っていたんだ……それを、奥さんにかぎつけられた。夜の勤めが間遠になったといって、責められたんだな。なにせ執念深い女だから――一般的にいって女はすべて執念深いがね――、相手の名を明かすまで承知しない。弱った亭主は相手は若い男だといったのさ」

「同性愛に目ざめた亭主では、仕方がない。そうあきらめるかと思ったわけね」

「どっこい、それでも奥さんは信じなかった。やむなく志水は便利屋に頼んで、それにふさわしい青年を、ホテルへ呼んだ」

「奥さんに紹介する気だったの？　これが私の恋人だって」

「ああ。女同士ならやきもちを焼いても、相手が男なら目をつぶるだろう。そう考えたんじゃないのか」

「だが、奥さんはご主人が想像していたより、はるかに彼を愛していた。ひと思いにそいつの息の根を止めようと、包丁を持ってホテルにやってきた……というわけね。かわいそうな俊一！　もう少しで汚名を着たまま、殺されるところだったのね」

「だが、商売としては十分にペイしたぜ」

と、俊一は機嫌がよかった。

「事件を起こしてくれたおかげで、おれのクライアントは、天下晴れて離婚できたんだ……契約の値段を五倍に釣り上げてくれたよ！」

そして

しばらくのうちは、便利屋稼業は順調だった。

窓拭きだの、煙突掃除だの、まともな仕事もいくつか舞込んだが、ペットの散歩にはてこずった。ふつうの犬や猫と違う……ぼつぼつ大人になりかけたライオンの子どもを、散歩させてくれという注文だったのだ。

「後ひと月もすれば、おりに入れて飼わなければなりませんのよ……それでは、あんまりタマが哀れですわ。せめていまのうちに、少しでも自由な空気を吸わせてやりたいと存じまして」

タマというのが、そのライオンの名前である。見かけは大型の猫だが、実体は百獣の王だ……秋子は断れといったが、俊一は電話をかけてきた相手が、美声の女だったので、引き受けるとがんばった。いざ、契約にあらわれた女性を見ると、人間より猫科に属するのではないかと思われる――事実、苗字まで猫田《ねこた》といった――猛女だったので、ただちに俊一はおりた。

その代り、金額を七割増しということで、秋子が引き受け、全身泥だらけ血まみれになって帰ってきた。これまた散歩中のセントバーナードにぶつかって、双方闘志を燃やしはじめたので、身を以《もっ》て防いだのだそうだ。

あるサラ金会社の社長の葬儀に呼ばれて、泣き女泣き男の役を演じたときは、カップルで出演した。強欲非道の見本のような男だったので、葬儀で泣く者がいない。それではあまりにらしくないので、雰囲気を醸成するために大いに泣いてほしい――というのが、サラ金会社総務課からの注文であった。

学生時代、そろって演劇部に籍を置いていたふたりは、みごとな演技で総務課の期待にこたえたものの、ずるずると支払いをのばされているうちに、粉飾決算がばれたと思うとあっという間の倒産で、

「畜生！　俺たちの芝居より、あの総務課長の方が役者が上だったなあ」

というお粗末。

そんな中で、もっとスリルがあったのは、なんといっても殺人を依頼されたときの話だろう。

だって

「げっ」

俊一の突拍子もない声があがった。台所でじゃがいもを切っていた秋子は、もう少しで指まで切るところだった。ペンションでは牛の乳もしぼったし、バイクから水上スキーまで器用にこなすのに、なぜか料理裁縫のたぐいは、俊一以下の腕なのだ。

「ちょっとお。変な声出すから、も少しで指を詰めるとこだったわよ！」

「だ、だってだって」

俊一の声がうわずっている。どうも様子がおかしいので、腹を立てるのは後回しにして、彼の傍へ近づいた。その目にはいったのは、万札の束だ。どう見積っても百枚や二百枚ではない。

「げっ」

「それ見ろ」

と、俊一がいった。

「きみだっておなじ声を出すじゃないか」

「だって……いったいこんなお金、どこから湧いて出たのよ」

「そんなうじ虫みたいなことをいうな。諭吉先生に怒られるぞ……ギャラの前払いらしいぜ。現金書留……いや、小包で来た」

「よほどの大仕事なのね」

と、秋子は息をあえがせている。なんだかあのときみたいな表情だ、と俊一は考えながら、あらためて小包の中にはいっていた封書を、取り上げると、中身がチャラリと金属的な音をあげた。

「ええと、注文書ときた。なんだって……げげっ」

おどろきの声が、また一段とレベルアップした。

「なによお。だらしない……男がいちいち見苦しい声を出すもんじゃないわ」

「だっ、だっ、だってだって、これを読め」

情けない話だが、オギャーと生まれて二十六年、こんなにびっくりしたことはない。

なぜならその仕事の注文というのは、

「殺人だ！」

「えっ」

さすがに秋子も度胆《どぎも》を抜かれたか、口をあけたままになった。

「見てくれ。これを！」

封書から転がり出したのは、どこかの家の鍵らしい。

「富士山市郎《ふじやまいちろう》という金持、知ってるか」

「聞いたことはあるわ……去年一昨年とつづけて納税の最高額を払った人でしょ」

「これが、その人の家の鍵だ」

俊一は震える手で鍵を取り上げた。

「その富士山氏の邸《やしき》の鍵らしい。これを使って忍びこめ、富士山市郎を殺せ……そうすればのこりの半額を送ってやる。そう書いてあるんだよ！」

俊一の声は、まるで泣いているみたいだ。

「ど……どうしよう？」

「どうしようって……もし、その注文をこなさなかったら、どうするって書いてあるのよ？」

「マスコミに訴えて、ギャラを先取りしながらなにもしなかった、悪徳便利屋だっていいふらすというんだ。……レポーターや写真雑誌にも投書するって」

「ひどいもんね！」

秋子が嘆いた。……それからいった。

「じゃあ、仕方がない。殺しましょ」

「お、おい。本気か」

「だって富士山という金持は、あこぎなことで有名だわ。年寄りのくせに女好きでさ……生きているのが罪悪みたいな人だって。そんな悪者を片付けるのは、一種の清掃だわ。世の中のためになるわ。公衆衛生を目的に働いて、お金がもらえるなんてすばらしいことじゃなくて？」

　理屈に合うような合わないような話だったが、目の前で微笑している福沢先生をながめていると、それももっともみたいな気がして、俊一はけっきょく殺人請負を承諾した。

……はっきりいえば、のこる五割の大金に未練がのこったのである。

「えっと……この地図で見ると、富士山邸は国鉄の駅から歩いて十分だな」

　ふつう殺し屋は、かっこいい車で乗りつけるものだが、あいにく俊一は酔っ払い運転で、免許を取り上げられていた。

「それで？　殺し方の注文はあるの」

「いや……あまり苦しまないように殺してやってくれとだけ、書いてある」

「あら、わりと情け深いのね。いったい誰が殺人の注文をくれたのかしら」

「さあ」

　俊一は気乗りがしない……誰が富士山に殺意を燃やしているのか、それがわかっては困るから便利屋に頼んだのだろう。よけいな詮索は身の破滅だ。

「ま、いいよ。当ＹＫ便利社としては、オーダー通りに作業するまでさ」

　というわけで、その夜川上俊一と矢代秋子のコンビは、程遠からぬ富士山家へ潜入したのである。

ジャジャーン。

しかし

ふしぎなくらい、侵入はうまくいった。……いくら俊一・秋子が器用なカップルだからといって、泥棒だの殺人だのの前科があるわけではない。いわば初心者同士の組合せにもかかわらず、核心である富士山市郎の部屋近くまで潜り込めたのは、大した手際といっていい。

実際、彼らが手にした間取り図は、精細で正確だった。図面を頼りに俊一はどうにか屋敷の中心まで入り込むことができた。……さて、それからが難関だった。

「おい、この壁はなんだ」

「なんだって、壁でしょう」

「しかし、他の壁と違う記号で書いてあるぜ……くそ、この壁さえ突破すれば、富士山氏の私室に入れるのになあ」

とにかく一番近い位置まで行くことにして、俊一はだだっ広い応接間に入った。……明りを点すことはできないから、あくまで図面で見た記憶が頼りである。

「こうっと……このあたりに、大理石のテーブルがあったっけな……いてえ」

たしかにあった。いやというほど、膝小僧で存在をたしかめた俊一は、顔をしかめながら音もなく移動した。器用なだけあって、泥棒ぶりも素人離れしている。

ただいくらか方向音痴の気味があるらしく、十メートルと歩かないうちに大きく曲って、壁にぶつかりそうになった。

「ぶわ」

置かれていたのは、一抱えもありそうな花瓶と花だ。秋の草花が乱れ咲いているそこへ、俊一はモロに顔を突っ込んだ。あわてて飛び離れたものの、花粉がたっぷり俊一の鼻に入ったようだ。

顔をゆがませた彼は、懸命に鼻をおさえた。

「ふわっ……ふわっ」

「だめ、俊ちゃん！」

狼狽した秋子も、彼の顔をおさえ込む。

「ふわ……く……苦しい」

「苦しくても、我慢する！　男でしょ」

いくら男だって、息をしないわけにゆかない。

「ふわ……っくしょん！」

とうとうやってしまった。

緊張でおしっこをちびりそうになったが、さいわい屋敷の中はことりとも音がしない。

(誰か、来るか?)

……気のせいか、かすかな笑い声が聞えたように思ったが、たしかめようとする間もなく声は遠のいて、もとの静寂にかえった。

(やれやれ)

ひと息ついて、扉を探そうと手探りする。

だがその扉際に鎮座していたのは、マホガニーの台座に乗った主人の胸像だった。

「わっ」

台座にぶつかった俊一は、もう少しで胸像を落とすところだった。そんなことになれば、たとえこの家の主人が眠り病であろうと、目を覚ますに違いない。

「おっとっとっと」

落ちかかった胸像を両手で抱き止めて、俊一はよたよたとがんばった。

(ぎえ……お、重い、……秋子、助けてくれ!)

「うはははは」

遠慮のない声をたてて笑ったのは、この屋敷の主——富士山市郎である。

彼は、いま胸像を両手に抱えてよたっている俊一と、三メートル離れていない場所に、坐っていた。

ふたりをへだてている壁は、実はマジックミラーなのだ。俊一から見ればただの壁だが、富士山老人から見れば素通しのガラス。

メガネをかけた老人には、赤外線灯の下であわてふためく俊一が、世にも愉快な見物であった。

「……！」

にわかに俊一が渋面をつくった。それもそのはず、我慢しきれなくなった俊一が、ついに胸像を落としたのだ——それも、床ならまだしもご丁寧に、自分の足の甲だからたまらない。

本来なら、

「ぎえええーっ！」

派手な悲鳴をあげるところだろうが、間一髪で秋子がその口を塞いだから、

「ぶわあ」

生煮えの声が漏れただけだ。

代って吹き出したのは、ガラス壁のむこうの富士山だった。

「おもしろい……真剣なだけにおもしろい！」

——長い間かかって、やっとの思いで俊一は、富士山の部屋にたどり着いた。

(なんだか俺、ずいぶん回り道したような気がするけど)

いわば四角形の三辺を歩いたようなものだが、頭へ血がのぼっている俊一にはわからない。

「静かに」

「うん」

秋子にいわれて、息を殺した俊一は、豆腐の上を歩いているような気分で移動した。

……さっきまで俊一の一挙一動を笑っていた富士山老人が、いまはそんなことはおくびにも出さず、すうすうと平和な寝息をたてている。

その寝顔をにらんで、俊一は深呼吸した。

(殺すぞ、畜生め)

ここへ来るまでに、俊一は今年度の日本紳士名鑑を読んでいる。それによれば、富士山が欲にまかせて乗っ取った企業は数知れず、路頭に迷った従業員も膨大である。彼を殺したいほど憎悪する人間は、百や二百ではきかないはずだ。

(こんな人間なら殺した方が、神様だって喜ぶに決まってる)

一方的に思いこんで、俊一が包丁をふりかざした。いつぞや彼自身殺されかかったときと、おなじ凶器だ……足がつかないためには、出来るだけありふれた品がいい。そこで俊一は、わざわざ一番混んでいる時刻のデパートへ、秋子をやって包丁を買わせた。この際だから、江戸伝統の名を保つブランドの刃物にした。

考えてみれば、女はすべて自分の城の中に凶器をなん本も隠している……その恐ろしい事実をほとんどの男は忘れて、せっせと浮気に励んでいるが、身のほど知らずという他はない。

一気に包丁を、老人の胸のあたりへ突き刺そうとした寸前、パチリと音をたてんばかりの勢いで、富士山の目が開いた。

「……？」

「お若いの。ようこそ」

「！」

なにがなんだかわからなかったが、今となっては途中でやめるわけにゆかない。

「でーっ！」

気合をかけて振り下ろした――が、一瞬早く、その手首をがっきと受け止められてしまった。

「糞《くそ》っ、放せ」

「放せといわれて、放す阿呆《あほう》はおるまい？」

老人とは思われない強力だった。俊一は、腕が折れるかと思った。

「ちっ。秋子、逃げろ！」

叫んだが、恋人は呪縛されたみたいに動かない。老人が愉快そうに笑った。

「これでも、若い時分は素人相撲の大関を張っておってな。年はとっても、まだお前さんには負けけんよ。ほれ」

包丁が落ちた。その刃先が俊一の足にあたったので、思わず悲鳴をあげてしまった――が、どうしたことか、さっぱり痛みがない。

「あれえ」

きょとんとした俊一を、富士山は哀れむようだった。

「やれやれ……まだわかっておらんとみえる。いったい誰が、わしを殺せというたのか、屋敷の鍵を手に入れることができたのか。どうしてこんな簡単に忍び込めたか、不思議とは思わなんだのかな？」

それだけ念を押されて、俊一はようやく事情がのみこめた。そうか……高級品と称して、刃もついていないインチキ包丁を買ったのは、秋子だ。

はじめから秋子は、この老人とグルだったのに違いない！

「やっとわかったらしい」

富士山の笑いをよそに、ふりかえった俊一はうなった。

「き……きみ」

「ごめんなさーい」

　朗らかな秋子の顔を見て、俊一はそのまま絶句した。

「だってこのおじいさん、私に注文するんだもん。おもしろいことはないかって……それもぜいたくなのよ。心臓がよくないから、自分の部屋に坐りこんだまま、たっぷり笑って興奮出来るようなイベントを考えろというんだもの」

「金にも、女にも飽きてきてな」

　と、富士山老人は福々しい笑顔になった。

「……このまま退屈しきって一生を終わるのかと思うとうんざりでなあ。なにかこう、ぞくぞくするようなスリル、それもやらせでない、本物が見たい。そう思いたったたんじゃ……相談する相手がなくて、便利屋に頼んだというわけだよ。いや、おかげで楽しませてもらった！」

「ひ……ひでえもんだ」

　やっと、声が出るようになったので、俊一はすぐさま聞いた。

「しかし、楽しかったのなら、ギャラの残り半分は……」

「もちろん、きみたちに差し上げる」

　ベッドから下り立った富士山は、壁にかけられた肖像画をひょいと横にどけた。その裏から顔を出したのは、金庫の扉である。

「声紋によるスイッチだから、わし以外の者には決して開けることができんよ」

自慢しながら、彼は唱えた。

「開けゴマ」

音もなく扉が開くと、中からどさどさと札束がこぼれ落ちた。無造作にそれをすくって、老人が振り向いた――その鼻先に、にゅっと蛇が鎌首を持ち上げた！

「ぎゃっ」

富士山の秀麗な白髪が逆立った。両手からふたたび札束が落ちたと思うと、黒目を吊り上げた老人は、朽木のように倒れている。

蛇は、俊一のポケットから出ていた。

「あ……あわ……それ、なんなの」

「玩具さ」

俊一がつかみ出したのは、リモコンつきの電動玩具だった。

「きみが裏切ってるとは知らなかったが、万一の用心に、別の道具を準備しておいてよかった……このじいさんはね、人間には強いが蛇には弱いんだ。おまけに心臓に欠陥がある。うまくゆけば発作ということで、殺人にならずにすむと考えたまでさ」

「でも、そんな……蛇に弱いってこと、どうして知ってたの！」

　秋子が金切り声をあげた。

「俺にだって情報網はある。かりにも殺人の罪を犯すんだ。それ相応に調べておかなくっちゃな」

　俊一が顎をしゃくった。

「ほらほら。なにをぼんやりしてるんだ。せっかくじいさんが、開けてくれた金庫だぜ。中にはいってる金を、もう少しもらっていっても、罰はあたらないだろう……といって、全部持っていっちゃヤバいぜ。金庫を開いたとたんに発作を起こしたと、警察に判断してもらわなきゃならないからね」


まだ……


「ねえ、これ」

　秋子が新聞記事を指さした。……今日はＹＫ便利社はシケだ。俊一も畳の上に転がっている。

「なんだい」

「富士山家の孫娘が、婚約だって」

「ふーん」

「写真も出てるわ。きれいな人ね」

「そうかい」

「結婚に反対していた祖父が急死したので、晴れて結婚出来るそうよ……ロックの歌手と」

「そりゃあよかった」

「結婚前は、六本木で遊び狂っていたらしいけど、そういえば俊ちゃん。あなたも六本木では、ちょっとした顔だったわね」

「それがどうした」

「富士山氏について、情報網があるといったわ。彼女のこと？」

俊一はにやりとした。

「ご想像にまかせるよ」

「ひょっとして……あなた、彼女に頼まれていたんじゃないの。おじいさんを殺してくれって！」

「……ご想像にまかせるよ」

ごろんと寝返りをうちながら、俊一の顔がこわばっている。

（やべえ、やべえ。これ以上追及されたら、俺と彼女ができていたことが、ばれっちまう……彼女からたんまり礼金をもらったこともよ）

だが、なぜか秋子は、なにもいわずに台所へ立っていった。

「コーヒーでも入れましょうか」

「ああ、頼むよ」

ほっとした俊一は、大きくのびをした。

(助かった！)

ポットを持ち上げながら、秋子も内心ほっとしていた……。

(深追いしない方が、お互いのためね。さもないと、以前あのおじいさんに抱かれていたことが、ばれっちまうもん。その度にたっぷりギャラをもらっていたことまで)

振り返ると、彼が肘枕でこっちを見ていた。

秋子と俊一は、どちらからともなくにこにこした。……この調子なら、ＹＫ便利社はまだしばらくつづきそうである。

第十話　非密室の秘密

1

犬も歩けば、棒にあたる。

可能克郎が歩くと——美女にあたった。

三流の夕刊専門紙、その名も「夕刊サン」の記者克郎は、まだ独身のサラリーマンである。

本人には気の毒だが、女性に飢えている。そのせいで美人に見えたのかと、あわてて目をこすったが、夜目と遠目を割引しても、まちがいなく美女だった。

白っぽいワンピースの裾から、すらりとのびた足の線もきれいだが、腰のくびれに照応した胸のふくらみが、またみごとだ。

とっさに目測して、八十七センチはあるとふんだ克郎、さらに視線を上へあげると——もはや数値に換算できない、造化の神の傑作がそこにあった。

だいたい克郎は、新聞記者のくせにボキャブラリー不足の男だから、

(美人だ！)

心中にただひと言、そう刻みこんだだけでポーッとなってしまった。

ところが、そんな美形なのに、立っている場所がわるかった。

ションベンくさい至急電鉄の線路際、セイタカアワダチソウの群れに埋もれて、半ばこわれた柵のあいだに半身を入れている彼女だった。

立小便には絶好のロケーションとばかり、人気《ひとけ》のない線路際へ、のこのことやってきた克郎だから、彼女の存在が目についたのだ。

ごうごうと大地が揺れはじめた。

車輪がレールをこする金属的な悲鳴が近づくと、オレンジ色の車両がひとつ目を光らせて、だしぬけに姿をあらわした。

美女が、半歩前進した。

それを見て、克郎の体を戦慄が走りぬけた。

立小便にもってこいの場所は、飛びこみ自殺にもふさわしい舞台であった！

「うわーっ」

自分でも意味不明の絶叫をはなって、克郎は突進した。

とたんに、足もとにころがっていた角材につまずいた。

地面に両手を突いた克郎は、するどい痛みに右の掌を灼《や》かれて、悲鳴をあげた。運わるく、有刺鉄線が這っていたのである。

「まあ、ひどい血！」

耳をくすぐる甘い声が降ってきて、克郎の掌にハンカチが巻きついた。

はっと気がつくと、目の前に、すてきに形のいい膝小僧がふたつ揃っていた。

「あ、あの」

克郎ははね起きた。

「きみは……」

いいかけて、のどが詰まった。

遠い外灯のほのかな明りが、彼女の顔を照らしている。間近に見ると、ほんの少しおでこであることがわかったが、一目惚れした克郎の目には、それも美点だ。

「自殺するんじゃなかったのか」

「え？」

一旦きょとんとした美女は、つぎの瞬間けたたましく笑いだした。

と思うと、こんどは顔をゆがめた。彼女の頬をひとすじふたすじ、涙が伝うのが見えたので、克郎もあわてた。

美女は泣いても笑っても美人である。

なぞとすましてはいられない。

「おれ、いやぼく、なにか気にさわることいいましたか」

「あなたのせいじゃないわ」

克郎の動きにつれて、美女も立ちあがった。

遠目には、プロポーションが良いので長身に見えたが、こうして肩をならべると、女性としても小柄な方だ。

「私が自殺しようとしたんじゃありません。……でも、私の……好きな人が自殺したんです」

「きみの、恋人が」

「ええ。ちょうど一週間前、自分の家で」

彼女の涙は、もう乾いていた。必死に自制しているのだ。

「ナイフで胸を突いて、死にました」

「一週間前というと」

克郎は、懸命に思い出そうとした。これでも新聞記者のはしくれである。

「すると……伊奈《いな》という大学の先生だね」

「あら」

美女は、目をみはった。

「ワープロで遺書をのこしたというので、話題になった」

「そうです。その一人《かずと》」

いいかけて、彼女はいそいで訂正した。

「伊奈先生のことです」

「じゃあきみは、伊奈夫人……にしては、若すぎるな」

東西大学史学部助教授の肩書をもつ伊奈一人は、たしか三十も半ばを過ぎていた。いま克郎の前に立っている美女は、はたちをやっと越したくらいだ。

それに、伊奈の自殺を報じた記事には、

「妻治子《はるこ》さん（三十四）の話によると」

云々《うんぬん》と書かれてあった。

畜生！

では彼女は、伊奈助教授の愛人であったというわけか。

そんな図々しい中年がのさばっているから、おれたち若い男が、いきのいいギャルにあぶれるのだ。

美女は、克郎の表情の変化に気がついたようだ。むしろ昂然《こうぜん》として、彼女はいった。

「私は、伊奈先生を愛していました。……先生も、私を愛してくださっていました」

勝手にしろ！

と、克郎はいいたい。

そんな愛し愛されていたカップルの片割れが、ではなんだって、自殺なんかやらかしたんだ。

「……ですから私、伊奈先生は殺されたのだと思います」

え？

克郎は、思わず相手の顔をまじまじと見た。

「死んだことのないお前に、自殺を決意した者の気持なんて、わかるまい。……そういわれるような気がして、私、ここへ来ました。先生になったつもりで、自殺を考えてみました」

ふたたび夜気をふるわせて、電車が驀走《ばくそう》してきた。

八両連結の電車は、線路際の雑草に光をまき散らしながら、駈け去った。

「……どうしても、納得がゆきませんでした」

美女の声がつづく。

「先生と私は、それなりに幸せでした。……私は、先生の家庭をこわそうなんて、これっぱかしも考えていなかったし、先生もそんな私の気持をよくご存知でした。……亡くなられる前日、私たちはホテルで会っていました。そのとき先生は、私の髪をなでながらおっしゃいました。

『お互いに、長生きしよう。ぼくはきみを、あと十年、二十年、愛しつづける自信がある。きみにも、そうあってほしいと思う。……ひとにほめられるような関係じゃないが、こうして心を寄せあっていれば、いつかきっと……時間がわれわれの味方をしてくれる』

その先生が、つぎの日の晩、自殺なさったなんて。私、信じられません！」

2

「信じられませんといわれても、なあ……」

ジンベエさんは、グラスのヘリを下唇にあてて、なん度もなん度もこすっている。

「現場は密室。おまけに遺書まであったんだぜ」

「ま、とにかく」

と、克郎はなだめた。

そのついでに、のこり少ないボトルの中身を、グラスにあけてやる。

「伊奈助教授の死の状況を、くわしく話してくださいよ」

克郎を応援するように、チェシャ公がぎゃおん、と愛想のない声をはりあげた。

チェシャというのは、このスナック『蟻巣』のぬしみたいな猫だ。

新宿でも名うての飲みどころであるゴールデン街、その一角に『蟻巣』はある。ママがタレント、彼女の亭主が広告代理店につとめている関係で、古手の編集者、マンガ家、タレントの卵などが、主な客層だった。

克郎も、妹のキリコが芸能界に片足突っこんでいたせいで、いつの間にやらセミレギュラーの客になっていた。

かれのとなりに腰を下ろして、カウンター椅子からみじかい足をブラつかせているのは、一見田舎のおっさんふうだが、上原《うえはら》署の刑事である。

名は、山名甚平《やまなじんべい》。ジンベエの意味も語感もぴったりで、克郎はもっぱらかれをジンベエさんと呼んでいた。

「夕刊サン」は小世帯なので、時と場合によって、克郎はなんでもやらされる。

ディズニーランドが開園したと聞けば、それ行け。歌舞伎町《かぶきちょう》にポルノビルが建ったと聞けば、やれ行け。

犯罪特集で、一日刑事という企画ものを書いたとき、かれをしごいた本職の刑事が、ジンベエさんだった。

外見の割りに意地悪じいさんめいたとこのある中年男は、素直さだけが取柄みたいな克郎と、案外ウマが合ったようだ。

伊奈助教授が自決した家は、上原署の管内にあり、ジンベエさんが現場を検分している。

もっけの幸いと、克郎が、非番のかれを『蟻巣』へご招待申しあげたのだ。

ママの近江由布子《おうみゆうこ》も、ちょうど来合わせていたマンガ家の那珂一兵《なかいっぺい》も、ジンベエさんとはべつの事件で顔見知りになっていたので、興味津々という表情で、話に耳をかたむけている。

「順序だてて話すと、こうさ。

その晩――といっても、時間はまだ八時前だったが、秋の夜で、おまけに現場一帯は人通りの少ない高級住宅街なんで、深夜の気配だよ。

旦那に留守番をさせて、友達と買物に出かけていた伊奈夫人が、家に帰ってみると森閑としている。

しかも、旦那の書斎はドアがあかない。あとで聞いたんだが、伊奈氏はそのへやを写真の暗室代りに使ってた。勝手にはいってこられちゃ困るというんで、日曜大工で頑丈な掛金をとりつけていた。

ということは、中に人がいないかぎり施錠できないんだ。

それなのに奥さんが、いくらドアをたたいても、返事はない。

……心配になった奥さんは、庭へ回って大声で呼んでみた。窓にカーテンがかかっているんで、中は見えない。だが、薄手のやつだから、へやの明りが点っていることは、よくわかる。

窓の錠も、完璧におりていた。

依然として、旦那の答えはない。

さあ気が気じゃなくなった奥さん、たまりかねて一一〇番した。

ちょうどそのころ、おれは伊奈家のすぐ近くを歩いていたんだ。顔見知りの巡査に呼び止められてね、はじめて事情を知ったのさ。

伊奈先生なら、おれも一、二度会ったことがある。つきあおうてんで伊奈家へとびこみ、ドアをぶち破った。

いや、がっちりした落し金でね、蝶番《ちょうつがい》のネジの方が、先にゆるんじまいやがった。

書斎はそう、六畳ばかりかな。天井まで届く書棚と、畳一枚はありそうなデスクがのさばってるんで、ちょっと手狭な感じだったな。

デスクの端っこには、ワープロという、いまはやりの機械が載っていた。高そうなカメラと、三脚もほうり出してあった。

だがむろん、最初に目についたのは、黒い革張りのアームチェアにもたれて、ことされていた伊奈先生の姿だった。

ワイシャツにズボンの軽装なんだが、その白いシャツに、べっとりと血がついていて、むごたらしいもんさ。

大型のナイフが、先生の命取りだった……心臓を狙った手先がくるったとみえてね。すぐに死ねなかったらしい。直接の死因は出血多量だというから、先生さだめし苦しかったんじゃないかね。

それとも……おれはまだ死んだことがないからよくわからんが、失血死というのは、だんだん意識が遠のいて、眠るように死ねるのかな」

「ちょっと、質問」

几帳面にメモをとりながら聞いていた克郎が、小学生みたいに手をあげた。

「ジンベエさんが飛びこんだとき、ほかに人影はありませんでしたか」

「ないね」

「たしかに？」

「ない。絶対、ない」

刑事は、自信たっぷりに首をふった。

「狭い書斎だ。人ひとりかくれる場所といえば、せいぜいデスクの下くらい……その中に猫の子一匹いなかったことは、死体にかけよったおれが保証する。

それに、へやへはいったのはおれだけじゃないぜ……交番の巡査も、戸口からだが伊奈夫人も見てる。

合わせて六つの目玉を、どうごまかして逃げられるというんだ」

ジンベエはにやりと笑って、話をつづけた。

「あんたの妹さんなら、本棚があやしいというかもしれんね。背に辞書かなにか、ぶあつい書物の束をならべて、体を折り曲げてかくれればいい……。

あるいはルームクーラーが、実は中がガランドウで、秘密の出入口に使われたとか。あいにくだが、同行した巡査がおそろしく疑いぶかい男で、そうしたマンガチックな発想も……失礼」

ジンベエにあやまられたのは、テレビアニメ「トコトンくん」で一世を風靡《ふうび》した那珂一兵である。

若いころ関西で苦労したとかで、年よりずっとふけて見えるが、性格的にもおとなだから、マンガの悪口をいわれてムキになるような人間ではない。

「いや一向にかまいませんよ。どうぞ、先をつづけてください」

「では……。要するにわれわれは、壁から床から、のこらずチェックしたということだね。

死亡状況を見るかぎり、自殺とも他殺とも判断しかねたので、まあ用心したわけだ。

そのうち、おれは、ひょっとワープロのテレビ……というのかね、四角い画面に気がついた」

「ディスプレイですね」

「そんな名がついているのか」

ジンベエは感心した。

「コンピューターみたいな恰好《かっこう》をしてるが、つまり和文タイプの便利なやつだろう」

「和文タイプといっしょにされては、かわいそうですよ」

克郎が抗議した。

「文法機能も、印刷能力もあるんだから……」

「なにより、かな漢字変換機能が、重宝だな」

那珂が口をはさんだので、ママの由布子は目をまるくした。

「那珂先生、ワープロを使っていらっしゃるの」

「使うというほどじゃない。おもちゃ程度かな」

「大したものですわ、お年にしては」

つい本音を吐いて、ママは、ぺろりと舌を出した。

亭主の中込《なかごめ》がいれば、サラリーマンだからＯＡ機器に関心を寄せるだろうが、今夜は得意先の接待とかで、『蟻巣』へ来ていない。

「……機種によってちがうが、かな文字で打ちこんだものを、ワンタッチで漢字に換えることができる。たとえば、

『こうえん』

のかな文字が、キイを押すことで、

『公演』

になる。

『講演』や『公園』、あるいは『後援』がほしければ、つぎつぎにキイを押して変換してゆけばいいのさ。……おっと、こちらこそ失礼」

いまワープロに凝っている最中とみえ、ついしゃべりすぎた那珂は、照れくさそうに笑って、ジンベエ刑事に主役をゆずった。

「どうも。……で、そのなんとかプレイには」

「ディスプレイ」

「そうだった。ディスプレイには、こんな文章が、緑色の文字でかがやいていたんだ。

〝なきたい　なけない　しにたい　ひとり〟

すぐに私は、奥さんにたずねた。

伊奈先生は、この機械でいまどんな原稿を書いていますか、と」

伊奈助教授は、売れっ子というほどではないが、年に二、三冊のペースで、エッセイを上梓《じょうし》している。洒脱《しゃだつ》な文章に、一部の根強いファンがついていた。

「それに対して、奥さんの答えはノーだった……つい三日前、半年がかりの研究論文をあげたところだそうだ。

ワープロの文章を見ても、奥さんは、記憶にないという。

してみれば、このみじかい文は、伊奈先生の絶筆であり、遺書ではないだろうか。

そう、私は考えたね」

山名は、うまそうにウイスキーをすすった。

「なるほど。

泣きたい泣けない死にたい……独り……ですか」

那珂がくり返した。

「覚悟の遺書がワープロにのこされ、その上ひとつしかない書斎の出入口には、頑丈な掛金がかかっていた。……念のためいっておくが、ドアには隙間なんてなかったよ」

ジンベエさんがにやりと笑うと、意地悪じいさんそのものの顔になる。

「針やら糸やらを使って、外から中の掛金に細工しようたって、そうはゆかない」

「……はあ」

克郎の声は、元気がなかった。

こりゃだめだ！

いくらあの美女――立花万里子《たちばなまりこ》という、伊奈のもと教え子だった――が、「先生に自殺する理由はない」と頑張っても、物理的に他殺は不可能なのである。

「可能さん」

由布子が呼びかけた。

まだ三十そこそこだが、子どものころから放送局に出入りしているので、タレントとしては大ベテランだ。

「そんなにがっかりしないで」

「はあ」

「また惚れたんでしょう。伊奈先生の彼女に」

「……はあ」

図星だ。由布子や那珂一兵や、その道のベテランの前でかくそうとしてもむりなので、克郎は、最初から白旗をかかげている。

「ジンベエさんの話を聞いて、あきらめたの」

由布子が低い声でたずねた。

当のジンベエは、つまみに出たイカクンを、入れ歯で食べようと四苦八苦していて、気がつかない。

「いや！」

ジンベエに遠慮しいしい、それでも克郎は、聞えるか聞えないかの声で、突っ張った。

「あきらめるもんか。彼女が伊奈先生を信じたように、おれも彼女を信じる」

ぱちぱちと拍手が起きた。那珂だった。

「那珂先生ったら……聞いてないような顔で、聞いてるんだもの、人がわるいわ」

由布子が笑うと、イカクンをあきらめてチーズにとりかかったジンベエが、やっと気づいた。

「あ？　可能くんなにを話していたんだね」

おんぎゃおお……ん。

ジンベエのあきらめたイカクンを頂戴して、チェシャ公は、今夜もご機嫌である。

3

三日後、克郎は、万里子に会った。

彼女の勤務先が京橋《きょうばし》の商事会社なので、デートの舞台は、東銀座にある喫茶店の『ほや』だ。

銀座といっても外れだからフリの客は皆無、まして古ぼけた階段をのぼって二階に落ち着く客は、めったになかった。

だからデートに最適——といいたいが、残念ながら、万里子と克郎のあいだに、そんなムードはない。

「……やっぱり」

克郎の報告を聞いて、彼女は、肩を落とした。

「警察でも、自殺としか考えていないんですね」

「まあ待ってよ……警察があてにならないから、おれはおれで、調べてみた」

夕刊サン社に出入りしているトップ屋のひとりが、ワープロ版の遺書に興味をもって、個人的に取材したそうだ。

「すると奴さん、妙な噂を聞きこんでいた。ワープロのセールスマンで、たびたび伊奈家を訪ねていた野尻正《のじりただし》という男が、伊奈夫人と仲がいいらしい」

「まあ」

万里子も初耳だったようだ。

「伊奈家出入りのクリーニング屋がいてね。そこの若い店員が、先月はじめバイクで秩父《ちち》に遠出したんだ。その途中でドライブインに寄ると、見おぼえのある伊奈夫人が、若い男と仲よく食事中だった。先方では、ライダースタイルの店員に、まったく気づかなかったそうだがね。男はなに者だろうと首をひねっていたら、そいつがワープロ会社の車で、伊奈家へ乗りつけるのを目撃したというんだな」

「野尻……そのワープロの会社の名は？」

「三友《みつとも》。三ツ江通商が、ＯＡ戦線に乗りおくれまいとしてつくった子会社なんだ」

「三友なら、うちにもさかんにセールスに来ているわ。野尻って人、調べてみる」

少しばかり、万里子の表情が明るくなった。

伊奈夫人と野尻が関係をむすんでいたとしたら——。

少なくともここに、伊奈助教授殺害の動機を持つ者があらわれたことになる。

「よしきた。そっちはきみにまかせるよ……おれは、伊奈夫人をマークするから」

万里子は生前に伊奈家をいく度も訪ねていたから、夫人に顔を知られている。ここはどうでも、克郎が乗り出す必要があった。

「忙しいんでしょう……ごめんなさい、私なんかのために」

殊勝に目を伏せる彼女が、克郎の目には、抱きしめたいほど愛らしかった。

誇張ではなく、そこへカップを下げに『ほや』のマスターがあがってこなかったら、克郎は、ひと思いにテーブルを跳び越えていたかもしれない。

「私なんか、だって。冗談じゃない！　おれはきみに惚れたんだ。惚れた相手のためならば、たとえ火の中水の中、夕刊サンがつぶれようが、東海大地震が起きようが、きみに尽して尽しぬいてみせる！」

——本当は、そう叫びたかった。

だが、実際に克郎の口から出たことばは、

「そろそろ行こうか。まだこれから会社に帰って、記事をまとめなけりゃならないんだ」

「ええ」

『ほや』を出たふたりが百メートルも歩くと、もう別れ道だった。

「じゃあまた、連絡するよ」

「はい」
二、三歩行きかけた万里子は、意外なことに、小走りに克郎のそばへかけもどった。
「なんだい、忘れもの？」

「いいえ……」

「あ、あの店のコーヒーなら、おれのおごり」

克郎がつまらない念を押すと、彼女はほとんど聞きとれないくらいの声で、告げた。

「あなたに会えて、よかった」

それだけいうと、もう彼女は背を見せていた。形の良い足が流れるように動いて、表通りの人ごみにとけこんでしまった。

「……」

しばらくのあいだ、克郎は、炭酸がのこらず蒸発したシャンペンみたいな表情で、モーローと立ちつくしていた。

やおら口の中で、彼女の台詞をくりかえしてみる。

「会えてよかった。会えてよかった。会えて……イヤッホー！」

おしまいのひと言は、道行く人びとがふりかえったほどの大声だ。

克郎は、おなかの底から湧きあがるエネルギーをもてあまして、猛然と走りだした。

長期ロケで東京をはなれている妹が、もしこの場に居合わせたら、きっと嘆くにちがいない。

「兄貴の純情馬鹿。いくつになっても、ジュニア小説の主人公だね！」

4

約束通り、純情馬鹿の克郎は、伊奈夫人をマークした。

といっても、多忙な記者生活のかたわらでは、能率があがらない。五日間の休暇願いを出した克郎、スーツを着たスッポンのつもりで、伊奈治子をしつこく追うことにした。

子どもがいない上に派手好みなので、まだ二十五、六に見える。克郎の趣味には合わなかったが、顔の道具立てが大きいから、十人並以上の美貌といえた。

働き手の夫を失っても、生活にあくせくする気配はない。

これまたクリーニング屋がニュースソースなのだが、伊奈家には先代からつづく家作があって、女ひとりいくら贅沢をしても、十分それを支える財力がのこされていた。

こうなると、いよいよ治子と野尻があやしくなった。

遠回しにアリバイを調べると、当夜治子は、高校時代の親友とショッピングに出かけ、そのまま行きつけのレストランで食事をしている。

アリバイは完全だった——親友が偽証したのでなければ。

思いきって克郎は、その女性に会うことにした。

「へえ……どんな口実で会うつもり」

『蟻巣』で近江由布子に聞かれた克郎、正直に白状した。

「それが見当がつかないんだよ。いや、口実は考えてあるんだが、果たしておれが、ボロを出さずにしゃべれるかどうか」

そうぼやいたのが縁で、由布子ママがお芝居の片棒をかついでくれることになった。

——なんでもぼやいてみるものである。

翌日克郎は、由布子を案内して、伊奈治子の親友猫田夫人の家を訪ねた。旧家の豪邸然とした伊奈家にくらべると、こちらはずっとちまちましている。それでも建っている場所が自由《じゆう》が丘《おか》に近いハイクラスの住宅地だから、なみのサラリーマンとしては、功成り名を遂げた部類だ。

丸越《まるこし》デパートの名を借用して電話しておいたので、猫田夫人は、あやしむ様子もなくふたりを応接室に通した。

こんなとき、良家の若奥様といった風情の由布子は、実にたのもしい。

もっとも夫人の方では、彼女の顔に見おぼえがあるらしく、ちょっと怪訝な表情をしてみせた。

「丸越デパートの方が、なにか」

応接室に通したものの、猫田夫人はふしぎそうだ。

「電話では申し上げませんでしたが、当店では先月先々月二ヶ月にわたりまして、お得意さま特別優待セールを開催いたしましたの」

と、由布子の口上は、淀みがない。

「その間お客さまから頂戴しましたアンケートについて、抽籤《ちゅうせん》の結果、こちらが一等にご入賞なさいました」

目くばせされた克郎が、うやうやしく丸越の包装紙に包まれた箱を持ち出す。

なに中身は、克郎が読み飽きた劇画誌やビニ本のたぐいだが、重量感たっぷりなので、猫田夫人もころっとだまされた。

それでも、さすがに良心はあるとみえ、残念そうに顔をしかめて、

「あいにくだけど、うちはそんなアンケート、出したおぼえがないのよ」

「はてな」

克郎は、オーバーに首をひねった。

「アンケートの日付によりますと、三週間前の木曜日……それも夕方、閉店間際ということになっておりますが」

「当日のその時間、奥さまどちらかへお出かけでしたの」

と、由布子がソフトな口調でたたみかけた。

「三週間前ねえ……」

壁に貼られたカレンダーを見て、猫田夫人は、すぐに思い出してくれた。

「それなら、やっぱりちがうわよ。友達の伊奈治子って人と銀座へ出て、そのあと『シルヴィア』というお店で食事してるわ」

「まあ、さようですか」

タレントのキャリアにものをいわせて、由布子は、リアルに口惜しそうな演技をした。

「念のためですけど、『シルヴィア』の場所を、教えてくださいません？　もしかして、日付のご記憶ちがいでは」

「そんなこと、あるもんですか」

一笑した猫田夫人は、克郎にとってひどく不都合な新情報をもたらした。

「治子さんに聞いてくだすっていいし、それでも信用できないなら、野尻って人にたしかめてごらんなさいよ」

「野尻？」

どうしてそこに、野尻の名が出てきたのか、克郎はすぐには理解できなかった。

「そうよ。彼女の家に出入りしてる、ワープロの会社の人ですって。治子さん『シルヴィア』の電話を借りて、かれの家へかけてたわ」

それが本当なら、治子ばかりか野尻にまで、アリバイが成立してしまう！　伊奈家は代々木《よよぎ》上原の近く、だが野尻のアパートは江戸川《えどがわ》区にあって、東京の東と西に、大きくはなれていたからだ。

克郎は、思わずせきこんだ。

「その、野尻……さんの家へ電話したといっても、ダイヤルされるのを見てたわけじゃないんでしょう」

深追いしては、あやしまれる。

由布子がつついたが、克郎は夢中だ。

「見てるどころか、おしまいの三桁は、私が回してあげたわ。……ううん、プッシュホンだから、押してあげたことになるわね」

近眼の治子は、メガネをかけてボタンを押していたようだ。ところがその途中で、メガネを床に落とした治子、あわてて猫田夫人を呼び、自分に代ってあとを押させたという。

念のため数字を聞いたが、伊奈邸の電話番号の下三桁とは、似ても似つかぬナンバーで、克郎が調べていた野尻の電話番号にぴったりだった。

だが、野尻が犯人であるとすれば、その時間かれは、絶対に自分のへやにいられるはずがない……。

すっかりしょげた克郎は、そこそこに猫田家を辞去した。

「くそっ。伊奈治子のアリバイを崩すどころか、野尻のアリバイまでかためちまった！」

猫田夫人は、受話器を伝わってくる野尻の声まで、ちゃんと耳にしていたという。

「それがなければ、伊奈治子のひとり芝居と解釈出来るんだがなあ」

「トリックよ」

しばらくだまっていた由布子が、自信ありげにいった。

「電話番号の下三桁だけ、友達に押させるなんて、あんまりわざとらしいじゃない。……きっと、短縮番号だわ」

「短縮番号？」

「ええ。プッシュホンの場合、使用頻度の高い電話番号を、三桁にちぢめて記憶させられるわ。伊奈治子は、野尻のへやの番号の下三桁とおなじナンバーで、自分の家の電話番号をおぼえさせたんじゃなくて？」

「あ……なるほど」

克郎がうなった。

「上四桁のボタンを押したふりをして、猫田夫人を呼ぶ。下三桁と思わせて、その実短縮番号を押させる。するとわが家にかかる――という手順だね！」

目をかがやかせた克郎は、すぐに首をふった。

「それはだめだ」

「なぜ」

「伊奈治子は、レストランの電話を使ったんだよ……たとえプッシュホンでも、公衆電話に番号を短縮して記憶する機能はないんだから」

「あるかないか、それを調べに行くのよ、『シルヴィア』へ！」

由布子にせきたてられた克郎は、しぶしぶレストランへ出かけた。レストラン――といっても、フランスでいうビストロ。小ぢんまりした家庭料理の店だった。

煉瓦《れんが》と白壁、緑にぬられた窓枠がささやかなアクセントをつけている。オーナー兼シェフはまだ若い、サービス精神旺盛な男だ。ふたりが店にはいるなり、シェフは両手をひろげて歓迎の意を表明した。

その腕の下――カウンターの隅に置かれた赤電話を見て、克郎が悲しげな声をあげた。

「あの電話では、短縮番号は使えないよ！」

ここで尻尾を巻いていたら、たぶん事件の解決はなかったろうが、由布子はあきらめない。

シェフの愛想のよさを頼りに、たずねてみた——。

「外へかけられる電話は、この一本きり？」

「そうですよ」

血色のいいシェフは、なにを聞かれてもにこにこしている。

「いつもここへ伊奈先生の奥さんがいらっしゃるそうだけど……」

三週間前に使ったのもおなじ電話か。

そう聞こうとすると、シェフの返答が先を越した。

「ああ、伊奈先生のおたくなら、いつもごひいき願ってるんで、私用の黒電話を使ってもらってます」

こともなげにいってのけたシェフは、カウンターの裏から、黒いプッシュホンをひっぱり出して、その上にドカンと置いた。

黒いプッシュホン！

それなら文句なく、短縮番号が使える！

当然、野尻正のアリバイは失われた……克郎をふりむいた由布子が、にこりとしたのも当然である。

収穫は、たしかな手応えだった。

克郎と由布子が、よろこび勇んで『シルヴィア』を出たときは、もう夜になっていた。

気をよくした由布子が、克郎をおごってくれたのだ。

「急いで新宿へ行かなくちゃ」

ふたりの背で、大きくゆれたドアをひょいと押えて、べつの若者がゆっくりとあらわれた。

——野尻だった。

かれも『シルヴィア』に来ていたのだ……克郎と由布子の探偵ぶりに気がついて、照明の届かない店の片隅から、豹のような目でふたりをにらみつけていたのだ。

尾行にうつった野尻の気配を、由布子のアンテナがキャッチした。

「変よ、つけられてるみたい」

「え？　チカンかな」

とんちんかんに口走って、克郎の立ち止まった場所がわるい。

老朽ビルをとりこわしている工事現場の、塀が長々とのびている前だった。

けたたましい足音が起こって、黒い暴風となった野尻が、克郎におそいかかった。手に、コンクリートブロックのかけらをにぎりしめている。

「ばか、やめろ。死んだらどうする」

自分を殺す気の犯人にむかって、ずいぶんのんきなことをいったものだが、それでも手だけは敏捷《びんしょう》に動いて、相手の手首をつかんでいた。ブロックを取り落とした野尻は、凶悪犯の形相をむき出しにして、克郎の首をしめあげようとした。

——だが、そこまでだった。

「やめろ！　なにをするかっ」

闇の中から怒号があがり、制服の警官がおどり出たと思うと、あっという間に野尻は手錠をかけられていた。

「……きみは！」

警官の後ろから、おそるおそる顔を出した万里子を見て、克郎はいまにも空中へ舞いあがりそうだった。

「ぶじで、よかった！」

万里子が笑い、

「じゃあこの人が、万里子さん」

由布子がたしかめ、

「それにしても、おあつらえ向きに来てくれたなあ」

克郎がたずねた。しめられたのどがまだ痛むのか、片手でそっとさすっている。

質問された万里子は、また笑った。

「だって私の役目は、野尻を追うことだったのよ。……でも、よかった。かれが本性を出してくれて……さもなければ、いくらアリバイを崩せても逮捕することは出来なかったわ」

5

「そう……逮捕は不可能だったろうよ」

ジンベエが、ポークソーセージを口へ運んで、あわててコップの水をのみ干した。辛《から》子《し》をつけすぎたらしい。

「密室と遺書、このふたつの謎を解かないかぎり、野尻の犯行はあり得んからなあ」

『蟻巣』のカウンターでは、チェシャがのんびり、うたた寝していた。

今夜も客は、ジンベエと、かれを誘った克郎、それに那珂一兵の三人きり。

「……すると、野尻某が、可能くんを襲撃したのは、まことに愚挙だったんですな」

那珂が、マドラーをもてあそびながらいった。

「もちろんです。そのきっかけがなかったら、野尻も伊奈治子も、大手をふって娑婆《しゃば》を歩いとったでしょう」

山名刑事は、いまいましそうだ。

「いってみれば、可能くんは、自発的に囮《おとり》役を演じてくれたんです。……だが、こうなるとわからんのは、密室と遺書だ」

「野尻たちは、なんといってますの」

「密室も遺書も、あずかり知らんそうです。……真相は、治子にそそのかされた野尻が、強盗を装って伊奈氏を殺した。それだけの単純な犯行だったらしい。友人をダシに使ってアリバイ工作したのが、工夫といえばいえるが、チャチなもんだ」

そのチャチなアリバイ工作に化かされかかった克郎は、しぶい顔をした。

「わかりませんなあ……」

ジンベエさんがうなると、那珂が静かに首をふった。

「わかります」

「え？」

ジンベエも克郎も由布子も、那珂を見た。チェシャまで、顔をもちあげたようだ。

「どうわかるんです」

「密室も、遺書も、伊奈氏が死の直前に、最後の体力をふるいおこして、のこしていった擬装ですな」

「し、しかし……被害者は、胸を刺されていた。そんな状態でへやを動き回れば、血痕が」

「密室は、掛金ひとつで構成されていた。はなれた位置からでも、わずかな力で掛金を落とすことが出来たのでしょう」

「それはそうだが……そんなリモコンみたいな方法がありますか」

「三脚」

と、那珂は答えた。

「カメラの三脚をいっぱいにのばせば、ドアに届いたんじゃないでしょうか。……いや、私が密室と遺書の謎は、被害者自身が仕組んだものと思いついたのは、ワープロからなんです」

那珂の手元で、グラスの中の氷がかるい音をたてた。

「学者のデスクなら、紙もペンもあったろうに、なぜワープロを使って遺書をのこしたか。

いうまでもなく、燃えつきようとする命を鼓舞して、文章をつづるには、ワープロがもっとも適していたからです。指先一本でキータッチすれば、ディスプレイに文字が浮びあがる。それも、片手で。

『泣きたい泣けない死にたい　独り』……。

読めばわかるように、濁音がありません。

ワープロで濁音を打つには、両手の指が必要だ……左胸部を刺された伊奈氏には、右手の指を使うのが、せいいっぱいだったのでしょう。もうひとつ……遺書、それも最短の遺書で良しとするなら、おしまいの『独り』はよけいです。私は、これは『独り』ではなく『一人《かずと》』の署名をのこそうとしたのではないかと考えました。

ワープロのかな漢字変換機能では、読み方のとおり『かずと』を漢字に換えると、『一人』が出るか『数人』『和人』があらわれるかわからない。

最小限のキータッチですませようとすれば、『ひとり』と打って漢字の『一人』に直す——それが一番の近道ですからね。

『泣きたい泣けない死にたい　一人』

その遺書をつづろうとして、最後のキーを打つ前に、伊奈一人氏は息絶えたのです……ナイフで自分を刺したあと、遺書を書きのこすなぞという事態は、考えられません。

だから私は、伊奈先生の死は他殺であり、密室も遺書も、それを自殺にカムフラージュしようとした、被害者の涙ぐましい努力の結果だと思ったのですよ」

……店内はしばらく静かだった。

やおら、山名が口をひらいた。

「しかし、それはなぜ……伊奈氏は、犯人をかばおうとしたのですか」

「いや」

那珂一兵は、額のしわを深めた。

「もしも私が、かれの立場だったら……伊奈氏が、本当に彼女を……立花万里子という女性を愛していたのなら、自分の死によって、恋人に累が及ぶことを、絶対に避けようとしますな。ひとりの人間が、他殺死体として発見されたとき、あなたち警官は、その人間の背後に横たわる、あらゆる秘密を探り出そうとする……司直として当然のつとめだ。だがそれを、伊奈氏はおそれていたのではありませんかな。庇護《ひご》者たるべき自分が死んだあと、警察に調べられマスコミの好餌《こうじ》にされる恋人の、あわれな姿が目に浮んだとすれば、伊奈氏が、全力をあげて自分の死を、自殺に見せかけようとした気持……おわかりになるでしょう。十年後、二十年後までも、きみを愛してゆくと、伊奈氏はいったそうです。その約束を果たせず先に死んでゆく者の、せめてもの恋人への思いやりであった。……と解釈するのは、マンガチックな発想ですか?」

突然、克郎の背後でしゃくりあげる声が起きた。おどろいてふりかえると、ドアが半分ひらいたむこうに、万里子が立ちすくんでいた。

「きみ」

克郎が立つより早く、万里子はぱっと走りだしていた。あわてて『蟻巣』の外へとび出した克郎の耳に、万里子ののこした悲痛な声が、いつまでも突き刺さっていた。

「一人さん!　一人……」

(おれはまた、ふられることになるらしい)

そんな予感が、克郎の熱した頭に水をかける。

見回しても、見回しても——。

美女ひとりをのみこんだ、新宿の夜の雑踏は果てしがなかった。

エピローグ　盗作の捜索

……十本の短篇すべてを読み終えたのは、さすがに深夜十二時を回ったころだった。

「ふう」

ひと息ついて、畑は、冷えきったコーヒーの最後のひと雫《しずく》を、飲み干した。

パイプに火をつける。

吐き出した煙は、だれもいないベッドルームにむかって、ゆるゆると流れていった。

四十を越した畑には、むろん妻がいる。子どもに恵まれなかったが、彼には過ぎた働き者の女房だった。

名は、初子《はつこ》。

「おい、初子」

ためしに呼んでみたが、答えはない……彼女は先週、家を出てしまったのだ。

十五年前の初子は、ある小説誌の編集者だった。その雑誌に、毎週のように熱心に自作をもちこむ青年がいた。それが、いまの畑建一《けんいち》だった。

彼の熱意に負けて、あれこれアドバイスしているうちに、いつか初子は畑を愛するようになった。

　実際、そのころの彼は純粋そのものだった。小説、それもひとつかみの理屈っぽい連中だけがありがたがる純文学ではなく、広汎な大衆をもてなすエンタテインメントを志して、真摯な精進を重ねていた。

（真摯な――？　いや、おれは馬鹿だったのさ）

　パイプの煙を目で追いながら、畑はそう本気で考えていた。

（苦節十年なぞということばは、死語じゃないか。よその世界の住人でも、話題性さえあれば、すぐ小説が活字化される……写真うつりのいい若い男や女なら、苦もなくアイドル作家になれる……十年苦労して、それでも芽が出ないなんて、尊敬ではなく軽蔑の対象にされるだけだ）

　思いきって、畑は盗作をこころみた。バレてもともと、もしスキャンダルが原因で筆を折る結果になったら、それもいいだろう……と、内心ひらき直っていた。

　大家の作品を九割方書き写して、彼は投稿した。

　意外だったのは、審査員五人のうち三人までが、畑のオリジナルの部分に言及し、ほめそやしたことだ。

　しかも佳作に入選した。畑は気をよくしながらも、一方では奇妙な失望を味わった。

　一流作家が、一流誌に、それもつい五年前発表した小品なのに、編集者も審査員も、だれも気づかなかったのか。

畑としてはお気に入りの佳品だったし、その大家の短篇としてもベストに近いと思うのに、審査員は些細《ささい》な描写にケチをつけ、佳作にとどめてしまったこと。

発表寸前に盗作の事実が発見され、畑は素直に認めた。

佳作に選ばれたときとあべこべに、奇妙な安堵をおぼえた。……

夫が新人賞の佳作に選ばれたのを、わがことのようによろこんだ初子は、それが盗作の収穫であったと知ると、青ざめた顔で畑をなじった。

つとめていた雑誌社をやめ、収入の多い――その代り、体もきつい――フリーの編集者として、いくつかのプロダクションをかけもちしつづけた彼女は、そのころ健康を害していた。

血の気のない顔で、唇をふるわせて怒る初子をまのあたりにして、畑はようやく悟った。

自分のあせり、ひらき直りの原因は、妻の過大な期待によるものだと。

客観的に見れば、彼の責任転嫁でしかないのだが、そのときの畑は、心からそう思いこんだ。

過労がもとで入院した初子に、なんの相談もせず、畑はニュー東京出版社に就職した。

表むきは、彼女の入院でかたむきかけた家計をたて直すため、定職についた形である。

初子は、いっときでも夫の小説修業を妨げることになったのを詫び、畑も妻にむかって、二度と盗作はしないと誓った。

心中に約束したのである。本音をいえば、二度とバレるような盗作はしないと。

編集長時代のなん年か、彼はあたらしい盗作のアイデアをあたためていた……それが、廃刊ときまった『小説ＴＯＫＹＯ』誌での、エンタテインメント・ノベル募集なのだ。

（応募作自体はどんぐりの背くらべでも、アイデアなりセンスなりは、見るべきものがあるにちがいない）

編集長としての体験が、彼にそう確信させた。

（あとはそれを、どう技術的にまとめるかだ……その程度のテクニックなら、私にだってある）

予定通りなら、ニュー東京出版社は間もなくつぶれるだろう。すでに『小説ＴＯＫＹＯ』誌は、書店の店頭から消えている……そして、募集要項には明記されていた。

「いかなる場合でも、応募された原稿はお返しできません。なお、この件に関する電話および手紙によるお問い合せは、ご遠慮ください」

応募した者は、出版社の消滅を知って、腹を立て――やがてあきらめるだろう。

その後になって、応募作のいくつかのエッセンスを頂戴した、畑建一の作品がデビューしても、アイデアを盗まれた連中が、果たして気がつくかどうか。

（できることなら、私もどこかの新人賞に応募してみたい……）

百パーセントとはいえないまでも、勝算はある。現役の若いふたりが選んだ十本を、ベテランの私がさらに練り直すのだ……まず打率は四割と、畑はふんでいた。

単純計算すれば、三本投稿すれば一本は入選するだろう。

だが、あまり派手な舞台をねらうと、『小説ＴＯＫＹＯ』に投稿した者の、目につくかもしれない。

（かまうものか）

コーヒーカップを洗うために、台所へ立ちながら、畑は思った。

（投稿した証拠が、どこにある？　そう逆襲してやるさ）

そのために畑は、あらかじめノートに、架空の応募作を記入していた……その現場を初子に発見されたのだ。

カンのいい彼女は、夫の盗作計画を察知した。例によってひらき直った畑を、初子は罵倒し、すぐさま家を出た。

そのときの妻の後ろ姿を思い出すと、いくら畑が厚顔でも、胸が痛む。

（まあ、仕方がないさ……）

水道を出しっぱなしにして、畑はつぶやいた。

「……しんどいのはデビューのときだけだ。一旦、名前が売れはじめれば……」

たとえ一割のオリジナリティとはいえ、審査員の好評を受けた実績がある。速読速筆に自信のある畑だった。

マスコミのベルトコンベアに乗るためには、最初の第一歩、それが必要なのだ。首尾よく自分が一人前の作家になれれば、スプリングボードにされた投稿者たちも、以って瞑《めい》すべしではないか。

ただ……

（ただ、十本を通読して、気になることがある……）

原稿用紙も字体もまちまちなのに、十本の間には、なにかしら共通した雰囲気があった。

雰囲気ばかりか、トリックもそうだ。落とし金で密室をつくる話がなん本かあるし、登場人物のダブリにも気がついた。「夕刊サン」が各所に出没し、可能克郎と名乗るその新聞の記者が、二作で主演している。

（まあそれは、おなじ作者が二本投稿したのだろうが……）

作者名はマジックでつぶしたし、あとくされのないよう、原稿到着の記録まで処分した。

ただそれぞれの表紙に、牧男と新子が書き足した、ナンバーがくわえられている。どの順に読もうと意味はあるまいが、なんとなく畑はその番号順に読まされてしまった……


そこまで思い出してから、畑は、やっとある奇怪な符合を発見したのだ。

（1と2、2と3、3と4……すべてにひとりずつ脇役がダブっている！）

可能克郎の二度登板に気をとられて、漫然と記憶していた登場人物のかけもちが、にわかに気がかりになってきた。

あわてでダイニングルームにもどり、テーブルの上に積み上げた原稿を、読み返した畑は、愕然とした。

鎖のようにダブってゆく、九人の脇役はつぎのような名で、登場していた。

戸並
うめ子
佐原（定子）
日下
矢内
ロコ
宇佐美
志水

　猫田

頭文字をつなげば——とうさくやろうしね。

「盗作野郎死ね」

思わず口を衝《つ》いて出たことばを、背後で復唱した者がいる。

「盗作野郎死ね！」

あっとふり返った畑の前に、牧男と新子が立ちはだかっていた。

「な……なんだ……きみたちは」

「もうお忘れになったの？　つめたい編集長！」

と、新子がオーバーに肩をすくめた。

「またお目にかかれたときはよろしくって、ちゃんといっておいたのに」

「……」

畑は口をパクパクするばかりだ。どう考えても、わからない。ドアは、きちんとロックしておいたのに——痩せても枯れても、ここは鉄筋のマンション、それも六階なのだから、バルコニーへ這い上がることも不可能だった。

畑の疑問をよそに、牧男は丸い顔に笑みを浮べた。

「あらためて、自己紹介いたします……この十本の予選通過作品は、みんなぼくの習作なんです」

「えっ。きみが！」

畑の疑問に、あたらしい混乱が追加された。

「しかし、原稿用紙も、字体も……」

「友人が、手分けして書き写してくれました……彼女もそのひとりです」

「私のアイデアがはいってる作品も、あるのよ」

「きみはむろんだけど、ほかの人たちにも、智恵を貸してもらったのさ……でも、とにかく、十通りのペンネームを使ったにしても、実際にペンをとったのはぼくなんです」

と、牧男は、畑を正面から見据えた。

「作者としてヒヨコでも、作品がぼくの子どもであり、命であることに、変りはありません。そうですよね、編集長」

「……」

疑問と混乱の只中《ただなか》で、畑はなおも呆然としている。

新子が、その前に進み出た。

「その子どもをあなたは、横取りしようとしたんだわ……あなたの考え通り、ことが運んだとしたら、彼は作家としての命を盗まれることになるのよ！　これが許せると思う？」

「きみたち……」

かすれ声で、畑がうめいた。

「きみたちは、だれだ」

「ＹＫ便利社」

「なに」

「ご注文をいただければ、小説も書きます……人も殺します」

新子が笑った。笑顔にしては、おそろしく迫力があった。

「便利屋というのは冗談だけど、盗作野郎は死ねというのはマジなのよ……ごらんなさい」

一隅に白熱灯を点しているフロアスタンドがあった。

「……えい」

無音に近い気合いを吐いて、新子が無造作にスタンドを蹴った。見る間に柄が折れ、ゆっくり傾く和紙のシェードとランプを、牧男が受け止めた。

「ストーリーは、こうなの。畑さんは、私のボインにむらむらときて、仕事にかこつけてマンションに誘い、犯そうとした……あいにく私は空手ができるの。で、正当防衛で畑さんを蹴ってしまう。……あなた、あっさり死んじゃうのよね」

「か、空手を使えるなら、過剰防衛だ！　きみだって、罪になるぞ！」

「おあいにくさま。私にふられてカッとした畑さんは、台所から庖丁《ほうちょう》を持ち出したのよ……こうなると、殺意ありと認められて、私はやっぱり、正当防衛だわ」

「だれがそれを、証明する！」

「ぼくです」

あっさりと牧男がいった。その手には、ハンカチにくるんだ庖丁がある。

「ガールフレンドの身が心配で、ここへかけつけてみると、畑さんはこれをふりかざしていました……あぶないと思ったときは、もう彼女が、あなたを蹴り殺したあとでした……お気の毒です」

ふかぶかとお辞儀する牧男を、畑は呆気にとられてながめていた。まさか、生きているうちに、お悔みをいわれようとは！

「じゃあ、はじめましょうか」

新子がズイと近づくと、畑はひきがえるのように、椅子から飛び上がった。パイプが床に落ちて、火の粉を散らした。

「わ、わるかった！」

Pタイルに手をついて、畑はぺこぺこと頭を下げた。

「盗作しようとしたのは、私がわるい……この通りだ、勘弁してくれ！」

「あなたはすでに、前科があるのよ」

新子が、淡々という。

「情状酌量は、許されないわ」

「だからといって、命まで取られてたまるものか！」

叫んだ畑の目の前に、原稿用紙の束がどさどさと落ちた。彼にはそれが、自分を押しつぶす鉄の塊にでも見えたらしい。「わっ」と叫んで、また飛びすさった。

「ねえ、畑さん……」

呼びかけた牧男は、悲しげだった。

「その原稿は、ぼくの命です……あなたは、十人ぶんの命を取ろうとした……それがわからないんですか？」

その声の調子に、畑は思わず相手を見上げた。

「偉い作家から見れば、屑《くず》のような愚作ぞろいでも、ぼくはぼくなりに、一所懸命書いたんです。それが屑だというのなら、ぼくの命の削り屑です……紙屑じゃないんです……」

気のせいか、牧男の目に光るものがあった――それまで動転するばかりだった畑も、この瞬間だけは、粛然とせざるを得なかった。

作家志望という点では、畑も牧男と同じ立場にある。いわば彼は、自分の同志の落涙を見たのだ。

「……すまん」

ふたたび床に額をすりつけた畑の声には、いままでにない真情があふれていた。

「私は、やり直す」

「あなたのためにも、奥さんのためにも、それがいいわ」

にわかに新子の声が、ほがらかに調子を上げた。

おかげで畑は、またまたおどろかされる羽目になった。

「初子のことか？　なぜ、きみたち、知ってるんだ」

「なぜ、とおっしゃるなら、なぜ私たちがドアの鍵を持っていたか。なぜ編集長の盗作の前科を知っていたか。なぜ今度の計画をわかっていたのか……そのあたりからお聞きになっていただきたいわね」

「……」

ことばを失った畑に、牧男もリラックスした笑顔で話しかけた。

「奥さんは、この家を出た足で、新宿へいらしたんですよ。めちゃめちゃに飲みたい気分だったそうです……おはいりになったのが、ゴールデン街の『蟻巣』というスナックでした」

「あの……小説に出てきたスナックかい？」

「ええ、そうです。スナックも、そこの客も、実名で出ています。発表するときは、名を変えようかと思ってましたが……」

「いあわせた客は、マスコミ関係者ばっかでしょう。みんな奥さんに同情して、この上ご主人に罪を犯させてはいけない……意見が一致したわけ」

「それで、彼女がいい出して、ぼくの作品を集団投稿しようと……」

「アルバイトに予選を請け負わせる計画は、奥さんが知っていらしたわ。だから私と彼が、志願して、あなたの盗作プランをたしかめることにしたの……こう見えても私、タレントなんですよ」

うふっと肩をすくめた。

「彼がミステリー作家の卵のように、私もまだ卵だけど」

「名前を、聞かせてくれ」

と、畑がいった。

「私？　可能克郎の妹でキリコっていいます。スーパーって綽名で呼ぶ人もいるけど」

空手の手練を見れば、まさにスーパーギャルだ。

「それから、こっちのポテトみたいな丸顔の彼は」

「牧薩次《まきさつじ》です」

若者は、決して皮肉ではなく、敬意をこめて一礼した。

「先輩に失礼したことを、許してください」

「いや、こちらこそ……」

いいかけた畑が、はっとしたように立ち上がった。

玄関のドアがひらき――そこに初子が立っている。白い顔に、かすかに血の気がさしていた。

「初子！」

反射的に声をしぼった畑にむかって、

「あなた！」

呼びかけ、靴をぬいだ初子は、スーパーとポテトの視線に気づいて、いそいで頭を下げた。

「あの、本当に、この度は……」

「いいんです、いいんです」

キリコがあっさりと手をふった。

「私たちの役目は、これでおしまい。あとはごゆっくりおふたりで……ね」

促された薩次も、腕時計を見た。

「この時間なら、まだ『蟻巣』にみんないるころだ……じゃあぼくたちは、報告に帰りますから」

「どうぞ、お幸せに！」

出て行こうとして、薩次がふりかえった。

「畑さん。これからもごいっしょにエンタテインメントの道で、がんばりましょう！」

「なにカッコつけてんのよ、ポテト……塩まかれないうちに、さ、行こ行こ！」

スーパーに腕をとられて、ポテトの丸い顔が、ドアのむこうに消えた。

あとにのこった畑と初子。お互いに、いうべきことが多々あるようで、だがしばらくは顔を見合わせたまま、押し黙っていた。

——夜は、まだ長い。

あとがき

かれこれ10年くらい前になるだろうか。某社の編集さんに聞かれたことがある。

「辻さんて短編を書くことがあるの？」

「へ？」

さだめしぼくは間抜けな顔を晒《さら》したに違いない。

実際そのときはびっくりした。古い話で恐縮だが、自分の書いた小説がはじめて活字になったのは、大衆雑誌に掲載された日活映画の原作用短編だったし、『宝石』昭和38年版の「新人二十五人集」に載ったときも50枚ぐらいのミステリであった。

物書き暮らしに紆余曲折《うよきょくせつ》はあったものの、短編の注文をお断りした覚えはない。○○賞受賞作家だのベストセラー作家だの、華々しい肩書を背負っているわけではなく、ご注文しだいでなんでも書くライターだったのだから。

だが月日の経過とともに小説のマーケットも様変わりした。

新書の台頭で長編の需要が圧倒的に増え、新聞雑誌の連載作を纏《まと》めるだけでは間に合わず、各社とも書き下ろしを出版するようになった。市場の拡大とともにぼくレベルのナンデモライターにも、新しく注文を戴けるようになった。たとえば当時創刊されて間のない雑誌『週刊小説』から。

週刊……小説？

「週刊」の後ろに新聞や雑誌の名前がつくのではない、だしぬけに「小説」なのだ。読者にとってまことに新鮮な誌名であった。新鮮な雑誌には当然新鮮な興趣をかきたてる小説が掲載されるべきだ。そういう論理で版元の実業之日本社さんがぼくに書かせた――と想像するほど図々しくはないが、ともあれご注文をありがたく頂戴して、以後同誌には短編小説をなん本も書かせてもらった。

それなのに「短編を書くの」はないでしょう。

そのときはそう思ったのだが、一冊にまとめた本書を読み返してアリャとなった。これでは短編集ではなく長編ではないか。それもぼくが最初期のジュブナイル（まだラノべという言葉がなかった）小説に登場させた主人公ふたりを使って。

なるほどこれでは聞かれるわけだ……「短編を書くの？」

あのころはたとえば『問題小説』誌に、宮脇俊三さんが鉄道紀行を、ぼくが鉄道ミステリを、それぞれ隔月連載してテッちゃんのご機嫌をうかがったりした。だがこれではある程度ページが纏まっても、短編集としては構成しにくい。

とびとびだが『小説宝石』などにも短編を書いていたがシリーズ外の単発だから、作者によほどネームヴァリューがなければ、一冊にしても売りにくい。

それくらいなら、あの作者は筆（だけ）は早いから長編を書かせよう。

そんな会話があったかなかったか知らないが、長編推理だけはけっこう注文を戴《いただ》いた。

そのかわり雑誌に放置され賞味期限切れの短編だらけになった。

新書戦争という言葉ができたほど、あの時代の文運（といえるのかね）は強風に煽《あお》られた凧《たこ》みたいに舞い上がった。煽られたひとりのぼくは量産する才能も気力もない癖に、書きつづけた。多いときは一年に20冊出したから、すり切れたボロ雑巾になった。

こらあかん。酷使されるのはテレビやアニメで慣れていたから、早くも水面下で小ずるい策を編み出していた。

――ここまで白状すればおわかりだろう。『殺人小説大募集!!』は、そんなぼくの狡《こう》猾《かつ》な小説作法の成果なのだ。

なにしろとっくに雑誌に載せた小説を、新作の一部にチョコマカ化粧直しして埋めこむという、まるで着ぐるみの似非《えせ》長編なのだから。

金返せといっても間に合いませんよ。

もっとも作者にだって言い分はある。こんな形で纏められようとは思わないから、初出のときはそれなりに一所懸命書いた短編たちだ。担当してくだすった編集さんは、一部を除いて当時の実業之日本社豊さん（解説をお願いしています）だが、そのころはほくなりにマジメに書いていたと証言してくださるでしょう（やや不安だが）。酷使された作者の絞りかす、新品でもオンボロ雑巾なのに比べれば、リニューアルでもアイデアを凝らしたミステリの方が、なんぼか代価に見合うはずと図々しくも確信している（さらに不安だが）。

ここで冒頭の疑問「辻さんは短編を書くの？」に回帰しよう。

長編と限らず短編も掌編もウジャウジャ書いたはずなのに、ぼくの短編が印象にのこらなかったのは、こんな楽屋裏の事情があったからだ。今となっては記憶も定かでないけれど、注文をもらって官能小説も大量に書いた。ＳＭアクション（！）として連載した拙作から官能場面だけカットして、ＳＦアクションに編集しなおそうとしたこともあるが、うまくゆかなかった（当たり前だ）。やがて自前で企画した長編が日の目を見るようになり、今では年に一作くらいの寡作のレジェンド（ですってね、へーエ）に納まっているが、老朽化したぼくにもこんな時代があったのかと、笑いとばしてもらえたら嬉《うれ》しいと、これがぼくの正直な「あとがき」である。

解説　辻真先さんと実業之日本社

豊　宣光
（編集者）

本書に収録されている十編のうち、第十話を除いた他の九編は、かつて実業之日本社が発行していた雑誌『週刊小説』に単発で掲載された作品である。第一話「うふふふ・ふうふ」が掲載されたのが一九八二（昭和五七）年九月、第九話「死ルバー死ート」が掲載されたのが一九八五（昭和六〇）年十二月であるから、足かけ四年にまたがる作品集ということになる。

それぞれ独立した短編なので、互いのストーリーに関連性はない。そこに「プロローグ」と「エピローグ」を加えることで、長編小説のような構成に仕立てなおしてある。見事な技だ。『殺人小説大募集!!』というタイトルも気がきいている。

二〇二三年八月に刊行された実業之日本社文庫『村でいちばんの首吊りの木』巻末の作家・阿津川辰海氏との対談で、辻さんは『殺人小説大募集!!』について次のように語っている。

「既製の官能やSM小説から見せ場のはずのエロを削って、普通の小説の顔をさせながら『殺人小説大募集!!』というミステリー短編集にまとめた」

この発言のとおり、本書の中にはところどころ官能色をチラリと見せて、読者を楽しませてくれている。

また、同じ阿津川氏との対談の中で触れられている本書第六話「うえっ！　ディング・マーチ」は、二〇一九年に開催された講演会で、辻さんが「自薦短編ベスト5」として挙げた一作でもある。このたびの文庫化で、現役の新刊で読めるようになった。そのおもしろさをぜひ堪能していただきたい。

辻さんの作品の魅力は、なんと言ってもその軽快な文体にあるだろう。短いセンテンスがテンポよく展開され、ユニークな着想を盛り上げる。スピーディーな場面転換と巧みな会話、そしてユーモア。これらは、辻さんが長い間アニメや漫画の脚本家として仕事を積み重ねてきた中で会得した技術であることは、言うまでもない。

私はかつて実業之日本社の文芸編集者として、十年余り辻さんの担当をさせていただいた。本書の中にも、私が直接受け取った原稿がある。

当時、辻さんの仕事場は長野県松本にあった。松本まで打ち合わせに行ったこともあるが、多くは東京でお会いして原稿を受け取った。その頃は今のようにインターネットのメールやビデオ通話などない時代だから、原稿の打ち合わせや受け取りは直接の対面で行っていたのである。仕事の用談がすむと、その後はアニメや漫画や映画の話、旅の話、脚本家時代のエピソードなどを楽しく聞かせていただいた。

辻さんの語り口は常に穏やかで謙虚、いわゆる作家風を吹かせるようなタイプでは全くなく、どちらかと言うと実直なサラリーマンという雰囲気だった。だが、その穏やかな外見の内側には、何か固い信念を持っている、そんな印象であった。原稿の締め切りは遅れることなくきちんと守ってくれたし、こちらから多少無理な注文を出しても、嫌な顔をせずにそのまま受け入れてくれた。したがって、とても仕事がしやすかったのである。

実業之日本社文庫には、辻さんの本がすでに文芸ミステリー三部作として刊行されている。『殺人の多い料理店』、『赤い鳥、死んだ。』、『夜明け前の殺人』。この三冊の原本の単行本は私が担当した。当時私は編集者として、今までのミステリー小説にはない趣向のものを辻さんに書いてもらえないだろうか、と考えていた。そのとき思いついたのが、少年少女向けの文芸作品を材料にしたらどうだろう、ということであった。辻さんに相談すると、興味を示してくれて、その結果誕生したのが右記の三冊である。それぞれ、宮沢賢治の童話、北原白秋の童謡、島崎藤村の歴史大作が素材になっている。三冊を刊行したとき、辻さんの新しい世界を発掘できた、と私はひそかに喜んだものであった。

辻さんは、小説以外でも実業之日本社から本を出している。『汽車旅がいちばん』（一九九三年）、『湯の宿がだいすき』（一九九四年）、『TVアニメ青春記』（一九九六年）。

これらは私の担当ではなかったが、辻さんと実業之日本社との関係はそれだけ深いということなのである。

実業之日本社はかつて大人向けの漫画誌『週刊漫画サンデー』を発行していた。辻さんはその創刊号以来の愛読者だったという。『週刊漫画サンデー』の創刊は一九五九年だから、辻さんがミステリー作家としてデビューするはるか以前の話である。辻さんと実業之日本社との縁は、すでにそのときに始まっていたと言えるわけだ。

辻さんとのエピソードをもうひとつ。たまたま古い手帳を見ていたら、一九八七年十月に辻さんと栃木県日光へ一泊の取材旅行に行った記録があった。旅行は、次の小説の題材として日光江戸村を取材したい、と辻さんから提案があったからだと記憶している。日光江戸村はその前年に開園したばかりで、珍しさが話題になり始めた頃であった。取材の成果は、翌月十一月から『殺しは江戸のパフォーマンス』というタイトルで『週刊小説』に連載され、その後ジョイ・ノベルスの一冊として刊行された。

辻さんは、今年（二〇二四年）の三月で九十二歳になられた。それなのに、今なお若々しい文体を保って、現役で執筆活動を続けておられる。驚きである。その原動力はどこにあるのか。思うに、それは若い人たちへの大いなる好奇心ではなかろうか。アニメや漫画などの同人誌即売会「コミックマーケット（コミケ）」に、辻さんはたびたび出品してきたという。「コミケ」は現代のサブカルチャー文化の発信基地である。若者たちが集まる文化の最前線に接することで、辻さんは時代の流行をすばやくキャッチしてきたのである。九十歳にしてこの好奇心、なかなか真似《まね》できることではない。

四十年前の辻さんの作品がよみがえって、文庫になった。四十年の歳月を経て、その内容がＳＮＳ時代の若者の感性にぴったり合ってきたのかもしれない。本書を通して、過去の辻作品に対する新たな若い読者が増えることを期待する。

＊本作品はフィクションであり、実在の個人・団体などとは一切関係がありません。

初出誌
うふふふ・ふうふ　『週刊小説』1982（昭和57）年9月24日号
狂気の凶器　『週刊小説』1982（昭和57）年12月31日号
欠陥結婚　『週刊小説』1983（昭和58）年10月21日号
未知への道　『週刊小説』1984（昭和59）年1月27日号
故阿部ベア子　『週刊小説』1984（昭和59）年6月15日号
うえっ！　ディング・マーチ　『週刊小説』1984（昭和59）年10月9日号
あくまで悪魔　『週刊小説』1985（昭和60）年2月8日号
ボーナス・ウォーズ　『週刊小説』1985（昭和60）年7月19日号
死ルバー死ート　『週刊小説』1985（昭和60）年12月6日号
非密室の秘密　『別冊小説宝石』1983（昭和58）年爽秋特別号

書籍化に際して著者が大幅な加筆訂正を行い、一九八六年五月、実業之日本社からジョイ・ノベルスとして刊行。文庫化にあたり「あとがき」が加わりました。

文日実
庫本業 つ55
　社之

殺人《さつじん》小説《しょうせつ》大《だい》募《ぼ》集《しゅう》!!

2024年4月15日　初版第1刷発行

著　者　辻《つじ》 真先《まさき》

発行者　岩野裕一
発行所　株式会社実業之日本社
〒107-0062
東京都港区南青山 6-6-22 emergence 2
電話 [編集]03(6809)0473 [販売]03(6809)0495
ホームページ https://www.j-n.co.jp/
ＤＴＰ　株式会社千秋社
印刷所　大日本印刷株式会社
製本所　大日本印刷株式会社

フォーマットデザイン　鈴木正道(Suzuki Design)

ISBN978-4-408-55881-3（第二文芸）